Graciliano Ramos

A infância pelas mãos do escritor

um ensaio sobre a formação da subjetividade na psicologia sócio-histórica

Taísa Vliese de Lemos

EDITORA ufjf

MUSA EDITORA

Impresso no Brasil
2002

FICHA TÉCNICA

Coordenação editorial: Jorge Arbach
Editoração: Tríade Comunicação - (32) 3217-0942
Revisão: Júlio César Souza de Oliveira
Impressão e fotolitos: Sermograf - (24) 2237-3769
Tiragem: 1000 exemplares

EDITORA UFJF
Campus Universitário
Prédio da Biblioteca Central - Térreo
CEP 36036-330 - Juiz de Fora - MG
Tel.: (32) 3229-3782
Fax: (32) 3229-3783
editora@editora.ufjf.br
www.editora.ufjf.br

MUSA EDITORA LTDA
Rua Cardoso de Almeida,2025
CEP 01251-001 - São Paulo - SP
Tel.: (11) 38715580
Telefax: (11) 3862-2586
musaeditora@uol.com.br
www.editoras.com/musa

FICHA CATALOGRÁFICA

Lemos, Taísa Vliese de

Graciliano Ramos - A infância pelas mãos do escritor - um ensaio sobre a formação da subjetividade na psicologia sócio-histórica / Taisa Vliese de Lemos -- Juiz de Fora: Editora UFJF/Musa Editora, 2002
162p.

ISBN 85-85252-69-3

1. Ramos, Graciliano, 1892 - 1953 - Crítica e interpretação. 2. Subjetividade. I. Título

CDU 869.0(81)RAMOS, G.06

À memória de minha avó Maria José Campos, porque rememorar minha infância é falar de sua forte presença.
Ao querido Carlos Alberto, pelo amor incondicional e pela cumplicidade com que vem me acompanhando nos principais momentos da minha vida.

Agradecimentos

Na produção deste livro, várias crianças me foram fonte de inspiração e inquietação. Entre elas, destaco, muito amorosamente, minhas sobrinhas Maria Stella e Anna Clara e minha irmã Juliane, que em suas constantes alegrias e peraltices, deixaram suas marcas em cada fase da produção deste texto.

Agradeço aos amigos que me acompanham neste percurso de formação com lealdade e solidariedade.

Agradeço aos amigos do grupo de pesquisa Linguagem, Interação e Conhecimento da UFJF, que foram grandes companheiros no desvelamento e na compreensão das práticas de leitura e escrita na contemporaneidade.

Agradeço às professoras do Núcleo Multidisciplinar de Pesquisa, Extensão e Estudo da Criança de 0 a 6 anos da UFF, por terem sido uma importante referência na minha formação profissional.

Agradeço à minha diretora Lúcia Sassi e à minha coordenadora Tereza Renou por terem me confiado o exercício da disciplina Linguagem, Desenvolvimento e Aprendizagem, no curso de Pedagogia da UNESA.

Agradeço a preciosa revisão de texto realizada pela professora e amiga Alda Pereira de Souza e pelo professor Júlio César Souza de Oliveira da UFJF.

Agradeço especialmente à minha orientadora Maria Teresa de Assunção Freitas. Se este trabalho tiver méritos, serão por sua preciosa orientação repleta de dedicação e paixão pelo tema investigado.

Para terminar, agradeço à minha querida família e especialmente aos meus pais pois, na polifonia que me constitui, vejo suas marcas na provisão material e psicológica que me deram e, por conseguinte, me permitiram realizar esse trabalho.

A todos vocês, obrigada.

Prefácio

PELA MÃO DE GRACILIANO

O livro que o leitor tem em mãos foi, inicialmente, uma dissertação de mestrado e desde então o texto tinha muito mais a fisionomia que agora recebe - posto em livro - do que a forma massuda dos trabalhos acadêmicos, às vezes deselegante em seu ranço e rancor, confundidos com rigor.

Felizmente esta dissertação junta-se a outros trabalhos que, apresentados na academia, mostram que é possível ser rigoroso sem cair no estilo impessoal, distante e aparentemente neutro. É óbvio que a autora se beneficiou, neste caso, das vantagens de seu objeto de estudo - a formação da subjetividade na infância, pelas mãos de um escritor - e que escritor! - vista sob um prisma não convencional dos estudos em psicologia: suas âncoras são Vygotsky e Bakhtin, e para acompanhá-la nesta tarefa contou ainda com a presença de Maria Teresa de Assunção Freitas, uma de nossas melhores leitoras do psicólogo e do pensador russos.

A autora se propôs, portanto, duas empreitadas - utilizar-se dos conceitos e categorias produzidas nos estudos sócio-históricos e sócio-interacionistas para iluminar a compreensão do processo de formação da subjetividade e, com estas lentes, ler e reler uma obra da literatura narrada "por um adulto que rememora suas primeiras e mais significativas experiências de criança". Se a perspectiva teórica já tem inúmeros precedentes, é original assumir uma narrativa memorialística como lugar de onde extrair elementos "para compreender os processos de formação da subjetividade como possibilidade de propiciar a singularização, "de viver a existência única no entrecruzamento de diversos vetores de subjetivação" (MIRANDA, 2000, p.38).

O lugar original obriga a autora a tomar posição em relação à discussão sobre os livros de memórias: são memórias ou são palavras do escritor, que cria uma história? Se esta é uma discussão pertinente entre os estudiosos da literatura, ela se torna menos crucial nos estudos sobre a subjetividade, já que não importa se o relatado corresponde ou não ao acontecido, porque o próprio relato é já acontecimento.

De qualquer forma, a autora não se furta a buscar entre os críticos literários uma posição que abraçará: "Para Cândido [Ficção e Confissão - Ensaios sobre Graciliano Ramos], os livros de memórias Infância e Memórias do Cárcere trazem dados que contribuem para a compreensão das demais obras do autor, pois não revelam apenas algumas características pessoais transpostas para o romance, mas mostram o modo de ser do escritor, permitindo com isso uma melhor interpretação de sua atitude literária. Ao defender esta idéia, Cândido se diferenciava da posição hegemônica da crítica literária de sua época, pois a corrente literária formalista acreditava no valor da obra literária por si mesma, devendo ser considerada independentemente da pessoa do criador". Com Antônio Cândido, a análise aqui apresentada assume que Infância é um texto memorialístico, mas isto não quer dizer que ambos assumam que o que o narrador expõe corresponda a uma realidade concreta, pois "a rememoração nos permite retornar ao passado com os elementos subjetivos do presente e neste retorno é possível reconstruir nossos valores, desejos, medos e quaisquer outras especificidades que nos tornam sujeitos únicos e inacabáveis".

Caminho minado: as memórias que hoje contamos remetem a um passado hoje construído com base em valores do presente mas que se expõe no fato narrado tendo em vista um futuro. Jogo de um presente que reflete sobre um passado a partir de um lugar no futuro. Ou seja, o narrador de Infância encontra nas memórias do autor não o que efetivamente foi mas a representação que tem hoje o autor do que foi, e que o narrador expõe tendo presente que seu texto, uma vez "acabado" volta a produzir-se na leitura futura. Há motivações, relativas ao futuro, quando falamos no presente sobre o passado.

O leitor acompanhará o percurso de Taísa entre as minas deste caminho, e encontrará o ponto alto da análise justamente no estudo das relações com o Outro, constitutivas da subjetividade, entendida esta como produto inacabado de internalizações do que é exterior, "uma configuração caleidoscópica, na medida em que não pára de assumir diversos contornos, cores, sentidos e formas".

Operando com conceitos provenientes da estética bakhtiniana, a autora pôde distinguir nas "memórias do futuro" do autor, lugar a partir do qual ele constrói um narrador que dá acabamento ao passado que relata, um conjunto significativo de vividos que acompanham o autor porque são constitutivos de sua existência. É evidente que, assumindo as perspectivas teóricas que assume, toda a análise é de um caso específico - e não poderia deixar de sê-lo, sob pena de perder os processos de singularização. O que importa é que os princípios teóricos - por isso mesmo genéricos - são instrumentos capazes de detectar, no processo que é comum a todos, o particular, o único e próprio que se constrói no "concerto polifônico desarmônico caracterizado por movimentos sincrônicos, bem como por vozes distintas, conflitantes e dissonantes", retomada a bela formulação de Ana Luíza Smolka.

A análise do discurso do narrador se fez sob três ângulos: o da relação do narrador com os outros; o da relação do narrador com os livros e o da relação do narrador com ele mesmo. Antecedem estas análises todas as discussões teóricas a propósito dos caminhos percorridos da psicologia à literatura, das metodologias positivistas nos estudos psicológicos às metodologias de pesquisa qualitativa, das relações entre ficção e realidade e das relações entre autor e narrador. Mas tudo isso que antecede não se constrói como uma espécie de aparato prévio- o famoso quadro teórico - que depois se utiliza na análise. Ao contrário, estas discussões são travadas ao mesmo tempo em que afloram no texto as passagens de Infância que dão sustentação qualitativa aos delineamentos teóricos. Ao final, quando aparecem como título as três relações estudadas, o que se tem é uma retomada e organização do que já estava presente ao longo das páginas anteriores, o que demonstra que as narrativas de Infância não são apenas um exemplo a ilustrar uma tomada de posição prévia, mas são parte constitutiva da posição que se desenha.

Vejamos, pois, exemplos deste percurso, abrindo o apetite ao prazer da leitura deste livro, sem tirar do leitor o direito ao sabor próprio de acompanhar o texto da autora e, depois de acompanhar, retornar à Infância, de Graciliano e a de cada leitor, para descobrirmos o que hoje somos no que já não somos e fomos.

[...]

O pai acordou enfurecido e procurou pelo cinturão, e não o encontrando, culpa o menino pelo infortúnio do desaparecimento. Ele estava encolhido, num canto para lá dos caixões verdes de onde o pai o arrancou reclamando o cinturão: "onde estava o cinturão? Eu não sabia, mas era difícil explicar-me: atrapalhava-me, gaguejava, embrutecido, sem atinar com o motivo da raiva. Os modos brutais, coléricos, atavam-me; os sons duros morriam, desprovidos de significação. Onde estava o cinturão? A pergunta ficou-me repisada na lembrança: parece que foi pregada a martelo. Hoje não posso ouvir uma pessoa falar alto. O coração bate-me forte, desanima como se fosse parar, a voz emperra, a vista escurece, uma cólera doida agita coisas adormecidas cá dentro. A horrível sensação de que me furam os tímpanos com pontas de ferro".

Estes trechos mostram o quanto ao narrar o passado o narrador também retrata o autor do presente. Os berros não furavam os tímpanos; eles criaram sentidos para o presente e furam hoje com pontas de ferro. Ao narrar este episódio dramático, vivido na infância, o narrador revela o autor e, muito mais do que isso, aponta para os leitores um futuro possível, em que a experiência de vida possa dispensar a dramática relação com a autoridade, no caso a autoridade paterna.

Há mais:

"... foi difícil deixar todas as conversas de cozinha e as histórias da rua, entre outros momentos que faziam parte da vida do narrador, para se inserir no mundo da escola. Um mundo distante, permeado por lendas e histórias de professores rígidos, palmatórias e caroços de milho. De acordo com sua narrativa: A notícia veio de supetão; iam meter-me na escola. Já me haviam falado nisso, em horas de zanga, mas nunca me convencera de que realizassem a ameaça". Na narrativa, quase cem páginas depois, é que aparece a definição presente de escola, com base no passado distante, em que escola significava também sapatos que comprimiam os ossos: "Os alunos se imobilizavam nos bancos; cinco horas de suplício, uma crucificação. Certo dia vi moscas na cara de um roendo o canto do olho, entrando no canto do olho. E o olho sem se mexer, como se o menino estivesse morto. Não há prisão pior do que uma escola primária do interior."

Nestas passagens, importa ressaltar os momentos em que o tempo presente emergem no interior da narrativa do passado, e neste passado o presente se sustenta, e ao mesmo tempo faz denúncia, que anuncia o desejo de um outro mundo, uma outra escola, uma outra relação entre a criança e os processos escolares.

As correlações entre os pensamentos sócio-histórico e sócio-interacionista com a história narrada por Graciliano Ramos vão permitindo ao leitor ao mesmo tempo compreender os conceitos manuseados e iluminar uma história vivida e narrada por uma memória de escritor, cuja sensibilidade extremamente apurada permite detectar o quanto as vozes dos outros com que convivemos constróem o que efetivamente somos.

Campinas, janeiro de 2002.
João Wanderley Geraldi

" ... a poesia ou a arte são um modo específico de pensamento, que acaba acarretando o mesmo que o conhecimento científico acarreta (...), só que por outras vias. A arte difere da ciência apenas pelo seu método, ou seja, pelo modo de vivenciar, vale dizer psicologicamente".

Lev Semenovitch Vygotsky

Sumário

Introdução

Após alguns meses de muita leitura e reflexão, encontro-me na delicada tarefa de escrever o presente livro sobre o processo de formação da subjetividade na infância.

Muitos poderiam ter sido os caminhos adotados. No entanto, optei por compreender esse processo psicológico a partir da análise de uma obra literária, pois a literatura é uma forma de pensamento que acarreta o mesmo esclarecimento que o conhecimento científico. Entretanto, ela o constrói por outras vias, por vias indiretas, através de alegorias e metáforas que nos permitem compreender os fenômenos psicológicos que ainda não estamos aptos para perceber através de vias objetivas (VYGOTSKY, 1999a). De acordo com Vygotsky, " toda obra de arte (...), pode ser aplicada como predicado a fenômenos novos ainda não interpretados ou idéias para aperceber-se deles, da mesma forma que a imagem na palavra ajuda a que nos apercebamos do novo significado" (p. 35).

Por esse motivo, escolhi o livro Infância, de Graciliano Ramos (1980) para compreender o processo de constituição da subjetividade, pois, nele, o autor criador narra as memórias de uma infância que aconteceu no início do século XX. Uma infância nordestina marcada pela riqueza sócio-cultural e por uma multiplicidade de vozes que permearam a constituição do narrador[1] .

O livro contém descrições pormenorizadas de um processo de formação: as interações, os sentimentos, as aprendizagens, os valores entre outros aspectos encontrados nas narrativas literárias.

Graciliano Ramos nos fala através das memórias de infância do narrador do livro, desenvolvendo o texto que se inicia com a lembrança de um vaso cheio de pitombas[2] e prossegue até o episódio que marca sua entrada na adolescência, quando descreve sua relação com o amor na puberdade. As narrativas descrevem os personagens que tiveram importância para a formação do narrador, as paisagens, os instrumentos culturais e as mais diversas relações que ele estabeleceu durante sua infância.

Ao realizar o presente ensaio, meu objetivo inicial foi possibilitar uma abordagem interdisciplinar entre as áreas da psicologia, educação e literatura, para compreender o processo de formação da subjetividade na infância. Neste percurso, a literatura se mostrou como uma excelente fonte inspiradora e quiçá, formadora e transformadora do sujeito. Por conseguinte, meu segundo objetivo foi apontar a literatura como um instrumento polissêmico e promissor de formação do educador, através do resgate da experiência humana como um dos elementos responsáveis

1. O narrador do livro Infância é um adulto, que lembra de suas experiências de menino e sempre as relata na primeira pessoa do singular. Com esse recurso estilístico, o autor criador ressalta a perspectiva crítica com que a criança, mesmo em tenra idade, observa os acontecimentos e as relações sociais por ela vividas.

2. De acordo com as narrativas, é possível compreender que Pitombas são uma espécie de frutos típicos do nordeste. O narrador descreve que utilizou o conceito de pitombas para designar todos objetos esféricos que conhecia, até que lhe explicaram que essa generalização era um erro.

por sua formação profissional.

Durante a construção deste ensaio foi possível observar que a leitura do livro de Graciliano Ramos funcionou como uma mola propulsora do surgimento das memórias de infância. Memórias que acredito contribuírem com elementos bastante significativos para a formação do educador, porque esta formação não envolve apenas aspectos técnicos, conceituais. Ela envolve os mais variados elementos que perpassam a formação humana (CATANI, 1997).

Assim, corroboro a posição de JOBIM E SOUZA (1994) quando afirma ser a Literatura uma forma de enfocar a infância, penetrando em dimensões de verdade que as Ciências Humanas não conseguem alcançar. As Ciências Humanas ainda estão baseadas em paradigmas positivistas que concebem o sujeito desvinculado de seu contexto social e nem sempre consideram as dimensões política, afetiva, ética e estética que também lhe são inerentes.

Um percurso em busca da compreensão da subjetividade

A motivação para pesquisar sobre o processo de constituição da subjetividade não é recente. Ao contrário, ela foi sendo tecida durante o curso de graduação em Psicologia na Universidade Federal Fluminense e na interação com profissionais atuantes em diferentes instâncias educacionais que representaram uma influência decisiva em minha formação.

A motivação para compreender este processo psicológico foi construída durante as várias pesquisas[3] e intervenções realizadas.

3.Estas foram as pesquisas realizadas ao longo de minha formação que me conduziram à seleção do tema sobre a formação da subjetividade na infância como pesquisa a ser desenvolvida no curso de Mestrado em Educação da UFJF.

- O desenvolvimento afetivo de bebês institucionalizados e criados na ausência da figura materna. Pesquisa desenvolvida no programa de monitoria da disciplina Psicologia do Desenvolvimento III (Departamento de Psicologia UFF), com a orientação da professora Dr.ª Margarida Weber, em 1995.
- Construção do Conhecimento e Formação da Subjetividade na Criança de 0 a 6 anos e no Educador Infantil. Pesquisa financiada pelo CNPq, orientada pela professora Dr.ª Vera Maria Ramos de Vasconcellos (Departamento de Psicologia da UFF), no período de 1995 a1997.

Pesquisas que me provocavam uma indagação recorrente sobre os processos de subjetivação, de formação humana e de singularização.

Em consonância com os sistemas teóricos que fundamentavam as pesquisas citadas, compreendia que o sujeito se constituía, enquanto ser social, desde o seu nascimento. Seu conhecimento e sua subjetividade eram socialmente construídos na interação com os outros sociais que participavam das mesmas experiências cotidianas que ele.

Além desses encontros, ressalto o conhecimento dos sistemas teóricos sócio-históricos que se apresentaram para mim com uma importância singular, na medida em que revolucionaram minha forma de compreender o sujeito e seus processos psicológicos. Considero-os uma perspectiva inovadora, pois, até então, tinha privilegiado em meus estudos os sistemas teóricos psicológicos hegemônicos que trabalhavam com uma compreensão fragmentada e mecanicista do psiquismo. Esses sistemas teóricos eram representados pela psicologia subjetivista e objetivista e se fundamentavam, respectivamente, nos métodos introspectivos e no estudo do comportamento a partir dos reflexos (VYGOTSKY, 1998a; 1999b).

Ambos os sistemas teóricos tiveram grande importância na consolidação da Psicologia como ciência. No entanto, não se mostravam coerentes para responder a algumas de minhas indagações sobre o desenvolvimento humano na contemporaneidade, por não trabalharem com os aspectos sócio-históricos que são inerentes à constituição do sujeito.

Dessa forma, encontrei nas obras de Lev Vygotsky (1896-1934) e Mikhail Bakhtin (1895-1975) elementos conceituais que me desvelaram o estudo do sujeito, em sua integridade, através da linguagem. Procurei penetrar no pensamento desses autores e deixar que suas obras me inspirassem as reflexões aqui realizadas.

- Práticas sócio-culturais de leitura e escrita de crianças e adolescentes, financiada pelo CNPq e pela FAPEMIG, coordenada pela professora Dr.ª Maria Teresa de A. Freitas (Faculdade de Educação da UFJF), no período de 1998 a 1999.

Compreender a infância através das memórias do narrador

A compreensão do processo da formação da subjetividade, através das memórias do narrador de Infância, será realizada a partir do referencial teórico de Mikhail Bakhtin e Lev Vygotsky. Autores que construíram suas teorias a partir de um mesmo fio condutor: o materialismo histórico e dialético, como base de seu método investigativo. Além do método, apresentavam como ponto de encontro, em suas teorias, o estudo da linguagem para a compreensão das funções psicológicas, em detrimento dos paradigmas de estudo cientificistas que foram questionados por eles, já no início do século passado (VYGOTKY, 1999b; BAKHTIN 1997b). Esses autores enfatizaram a importância das interações sociais na formação da consciência e tinham em comum o interesse pela arte e literatura, como forma de discutir as questões da linguagem em relação às ciências humanas.

Assim, apresento um esquema de organização do livro que será desenvolvido em quatro capítulos:

No primeiro, intitulado Uma metodologia para compreender a formação da subjetividade na infância através das memórias de um narrador, explicito os fundamentos da metodologia que foi utilizada neste trabalho para estudar a formação da subjetividade: signos lingüísticos que descrevem a trajetória percorrida na formação de um sujeito.

No segundo capítulo, intitulado As palavras do escritor, faço um resgate da biografia de Graciliano Ramos, das suas obras de maior destaque no quadro nacional, dos principais trabalhos acadêmicos nas áreas da psicologia e educação realizados sobre ele, da gênese do livro Infância (1980) e finalizo o capítulo com a apresentação da polêmica questão proposta por estudiosos de Graciliano Ramos: se este livro é ficção ou autobiografia. Nesta discussão, realizo um diálogo com vários críticos literários como Wilson Martins (1977), passando por Antônio Cândido (1992a, 1992b) e Wander Mello Miranda (1992) e concluo com a leitura de Mikhail Bakhtin (1997b), ao analisar a relação que o autor estabelece com o herói do livro: a relação que Graciliano Ramos estabelece com o narrador do livro Infância.

No terceiro capítulo, intitulado Memórias de Infância, construo um estudo teórico sobre a memória como um fenômeno social e constitutivo do sujeito.

No quarto e último capítulo, intitulado No discurso do narrador: a constituição da subjetividade, analiso as narrativas do livro Infância interpretando-as através de três categorias. Inicialmente, interpreto a relação que o narrador estabeleceu com os outros que com ele conviveram. Privilegio a relação estabelecida com seus pais e professores. Posteriormente, interpreto a relação que o menino estabeleceu com os instrumentos culturais típicos de sua época e ressalto sua relação com os livros, através das vivências de leitura como arma terrível e como experiência de formação. E finalmente, interpreto a constituição do auto-retrato do narrador, dividindo a análise em duas categorias. Na primeira, destaco a percepção que os outros tinham sobre o menino e, na segunda, a percepção do menino sobre ele mesmo.

Na conclusão deste ensaio, escrevo uma carta endereçada aos educadores. Nela, evidencio como esta pesquisa pode trazer novos elementos para a compreensão da formação social do sujeito. Além disso, procuro assinalar como a literatura é um material fecundo na formação do educador, uma vez que a leitura pode sensibilizar e atingir diretamente o leitor. Enfim, a leitura do livro Infância (1980) tem o poder de promover o encontro do narrador com o leitor e do leitor consigo mesmo, pois suas memórias poderão ser somadas às memórias narradas e, quem sabe, construir um conhecimento diferenciado sobre a Infância.

Capítulo 1

Uma metodologia para compreender a formação da subjetividade na infância, através das memórias de um narrador

Para introduzir a forma como foi realizada este livro, recorro à etmologia da palavra ensaio, que significa: tentativa, inacabamento, experiência. Mergulhando no significado desta palavra, me inspirei para realizar um trabalho não conclusivo sobre o tema da formação da subjetividade na infância, apresentando apenas uma leitura de um caso particular de formação que acredito ser representativo da totalidade social.

Construir uma metodologia para investigar o processo de formação da subjetividade na infância, através das narrativas literárias, foi um desafio. Um desafio na medida em que esta pesquisa realizou algumas rupturas metodológicas para compreender o processo de desenvolvimento da criança, sem capturá-la como um objeto, pois nesta investigação não há objetos. Há as memórias de infância de um narrador em interação com minha leitura e interpretação.

O narrador, cuja história é interpretada, não podia ser isolado, nem apenas observado. Foi preciso, então, interagir com ele através dos ditos e não-ditos presentes no texto literário. O narrador do livro não podia ser analisado no isolamento de um laboratório, nem na praticidade de um questionário. Mas ao contrário, ele só podia ser verdadeiramente compreendido na interação com o ambiente sócio-cultural no qual se constituiu: com o pai, com a mãe, com os filhos de Teotoninho Sabiá, com o moleque José, com a professora Maria, com os livros de Jerônimo Barreto, com a prima Emília, com a fazenda do avô, entre outros elementos de significação e com personagens que circunscreviam sua história. O narrador é tudo isso. Sua subjetividade é polifônica. Seu eu foi construído a partir da interação com vários outros eus.

A investigação foi um exercício da leitura como interpretação, pois as memórias do narrador ganharam vida e sentido a partir da interação com minha subjetividade. Desta forma, a metodologia do presente ensaio foi um encontro de vozes e subjetividades que percorreram um caminho da psicologia à literatura; das memórias do narrador à criança e dela à pesquisadora. Ao ler os relatos sobre a formação do narrador, me confrontei com minhas memórias de infância e com a necessidade de buscar novos paradigmas para o estudo desse processo, pois desejava trabalhar com um texto vivo e rico em significações.

1.1. Busca de novos paradigmas para o estudo da subjetividade

A investigação sobre o processo de formação da subjetividade vem exigindo dos pesquisadores a criação de novas configurações teórico-metodológicas para sua abordagem (JOBIM E SOUZA, 1994; 1998b; EIZIRIK, 1995; BARBOSA, 1995; CROCHICK, 1998; REY,1998; SCHNITMAN, 1996). Atualmente, assiste-se ao encontro da ciência com a arte e a filosofia, com o objetivo de instituir nos métodos de investigação a plurivocidade de conhecimentos e, assim, contemplar as complexas investigações nas Ciências Humanas (SCHNITMAN, 1996).

Novos paradigmas de estudo científico que possibilitam a convergência entre a ciência e a cultura vêm questionando as premissas que orientaram estes tipos de investigações e abrindo espaço para a interlocução com reflexões filosóficas sobre a ação social e a subjetividade. Segundo esses paradigmas, o conhecimento científico não está mais dicotomizado entre o objetivo e o subjetivo, imaginação e verdade, emoção e experimentação. Além disso, a subjetividade do pesquisador é considerada de suma importância na compreensão dos dados e acontecimentos, como também na compreensão da escolha do tema estudado e do referencial teórico adotado. E, ainda, os critérios de verdade universais estão sendo substituídos por múltiplos universos de discursos (SCHNITMAN, 1996).

Toda essa reflexão paradigmática se faz proeminente, perante a insatisfação com as respostas geradas pelos paradigmas de pesquisa positivistas que vêm sendo adotados pelas Ciências Humanas no estudo do sujeito. Desta forma, realizo um pequeno resgate de como essa crise metodológica se instaurou no âmbito das Ciências Humanas e quais as suas principais conseqüências para o estudo do sujeito na contemporaneidade.

Jobim e Souza (1994) cita Japiassu (1988b) ao afirmar que as Ciências Humanas têm vivido um dilema na construção de seus conhecimentos, pois importaram os paradigmas racionalistas das Ciências Naturais, tentando alcançar o ideal de cientificidade que lhes foi exigido no início do século passado. Em suas palavras, as Ciências Humanas *"aderiram ao universo do pensamento axiomático, calcado na lógica matemática, substituindo progressivamente o mundo da realidade humana, chegando mesmo a abolir a própria distinção entre pessoas e coisas* (JOBIM E SOUZA, 1994, p. 20).

Nesta época, houve um engendramento dos princípios metodológicos das ciências naturais às ciências humanas e a conseqüente reprodução do seu ideal de cientificidade. O que ficava evidente na tentativa de evitar a influência do pesquisador, no momento da investigação, conferindo o mesmo tipo de tratamento aos objetos de estudo das ciências naturais às ciências humanas.

Além disso, os paradigmas de pesquisa, baseados na corrente filosófica positivista[4], tentavam compreender os processos psicológicos, lançando mão da interação que o pesquisador estabelece com o sujeito estudado. Buscavam essa compreensão dentro de uma situação de objetividade e imparcialidade que compreendo não ser possível nas ciências humanas, pois o investigador não consegue se (des)subjetivar no momento da pesquisa e da análise dos resultados. Ele não consegue esquecer suas crenças, valores, desejos e memórias, mas, ao contrário disso, faz de sua subjetividade, a motivação principal que impulsionará a pesquisa.

E esta busca por uma pretensa cientificidade provocou a sua desumanidade, pois as Ciências Humanas foram estruturadas a partir de categorias invariáveis do estudo do sujeito, que compreendiam os processos humanos e sociais como universais e supra-históricos (REY, 1998). Dessa forma, é possível afirmar que diante de tantas quantificações e controle de variáveis, as Ciências Humanas deixaram de contemplar a especificidade do estudo do sujeito. Jobim e Souza (1994) acentua que esses modelos de estudo simplificaram as complexas relações do homem com seu meio, por concebê-lo numa perspectiva fragmentada e mecanicista. As Ciências Humanas utilizavam uma visão que idealizava o sujeito e o destituía de sua historicidade, cultura e linguagem.

Compreende-se, portanto, que a rigidez dos paradigmas positivistas não contemplaria a investigação dos processos psicológicos, pois ela estaria baseada nas análises de estruturas a-históricas e universais do comportamento humano. E, neste caso, se mostraria incondizente com o nosso contexto sócio-cultural, que é marcado por profundas mudanças qualitativas produzidas pelas diferentes revoluções econômicas, tecnoló-

4 - Augusto Comte criou o termo positivismo para caracterizar a ciência como paradigma de todo conhecimento verdadeiro. Para ele, uma teoria científica deveria se passível de observação, testagem direta ou indireta com auxílio de sentenças observacionais que descreveriam o que uma pessoa estaria experimentando em determinado momento. Desde que utilizassem a lógica e a matemática, essas sentenças seriam universalmente válidas porque estabeleciam as regras de linguagem que deveriam descrever o conhecimento científico.
As leis e teorias científicas deveriam ser formuladas pelo método indutivo ou seja, a partir da observação de casos particulares e sua generalização (ALVES-MAZZOTTI, 1998).

gicas, informáticas e de comunicação que vivemos.

Para Rey (1998), a pesquisa em psicologia ainda é caracterizada pela hegemonia do paradigma positivista, pois ele é reconhecido como a principal forma de legitimar sua cientificidade. Essa observação do autor me impele a buscar novos mecanismos de investigação no âmbito das Ciências Humanas com o objetivo de romper esse quadro empobrecedor e monológico do estudo do sujeito.

Neste caso, para construir a metodologia deste ensaio, me apropriei de uma indagação de Jobim e Souza (1994), nossa interlocutora e precursora neste estudo. A autora busca a resposta de como romper com os modelos das Ciências Naturais, resgatando uma identidade própria, a partir de outros critérios de cientificidade que tenham suas leis internas e critérios de exatidão. E, ainda, como manter o rigor metodológico e epistemológico, utilizando-se de novos paradigmas de estudo para as Ciências Humanas?

Como pistas iniciais para essa formulação, a autora acentua que é preciso criar um enfoque metodológico que compreenda o homem contemporâneo como um sujeito social, histórico e cultural. Neste caso, a abordagem teórica deve considerar o movimento da história e da sociedade. Além disso, deve ter a visão da realidade como um produto das ações do homem sobre o mundo, pois, em suas palavras, estudar a constituição da subjetividade na infância *" não se resume em analisar o mundo interno em si mesmo, mas sim em resgatar o reflexo do mundo externo no mundo interno, ou seja, a interação da criança com a realidade"* (Id. Ibdem, 1994, p. 126).

A resposta para a busca por um enfoque metodológico, que compreenda o sujeito em sua totalidade, pode ser encontrada, numa psicologia fundamentada nas premissas do materialismo histórico e dialético, a perspectiva sócio-histórica. Nela, percebo a possibilidade de estudar a permanente 'transformação' e as contradições que são inerentes aos fenômenos humanos e sociais.

1.2. Contribuições da perspectiva sócio-histórica para a pesquisa nas Ciências Humanas

Não quero descobrir a natureza da mente fazendo uma colcha de retalhos de inúmeras citações. O que quero é, uma vez tendo aprendido a totalidade do método de Marx, saber de que modo a ciência tem que ser elaborada para abordar o estudo da mente.

Lev Vygotsky

A perspectiva Sócio-Histórica, que tem o materialismo histórico e dialético como fundamento de sua base filosófica, inspirou a criação de métodos de investigação que compreendiam o homem enquanto *"unidade de corpo e mente, ser biológico e social, membro da espécie humana e participante do processo histórico"* (FREITAS, 2000, p. 2).

Para autores como Lev Vygotsky e Mikhail Bakhtin, que adotaram premissas materialistas histórico-dialéticas para o estudo do sujeito, as investigações sobre os fenômenos humanos e sociais devem considerar os homens como sujeitos históricos, concretos, produzidos pela cultura e produtores de cultura, numa dada realidade social.

Por adotarem uma postura vanguardista em relação ao conhecimento científico sobre o sujeito, esses autores contribuíram para a estruturação de novas formas de investigação e inteligibilidade nas Ciências Humanas e Sociais.

Já no início deste século, Vygotsky (1998a) tinha observado a impossibilidade de estudar os processos psicológicos e fisiológicos de forma separada, pois, assim, tornar-se-iam impróprios para a compreensão do sujeito e de sua produção cultural. Segundo ele, seria importante *"abordar o processo em sua totalidade, o que implica considerar, ao mesmo tempo, os aspectos subjetivos e objetivos do sujeito"* (p.145). Para o autor, o processo de desenvolvimento do fenômeno psicológico é mais importante que seu produto. Assim, propôs estudá-los em seu permanente estado de transformação, buscando compreender sua gênese para reconstruir a história de sua origem e o caminho de seu desenvolvimento (VYGOTSKY, 1993).

Mikhail Bakhtin (1997b), por sua vez, trabalhou com a distinção existente entre a pesquisa nas Ciências Humanas e nas Ciências Naturais.

Segundo ele, a investigação nas Ciências Naturais se caracteriza por uma interação monológica, na qual apenas o investigador é o sujeito cognoscente, falante e com história. Seu objeto de estudo é apenas contemplado e não se pronuncia jamais. Já nas Ciências Humanas, ao contrário, a relação estabelecida entre os sujeitos é dialógica, pois ambos interagem e desempenham um papel ativo na produção do novo conhecimento. Ambos os sujeitos constróem novos textos, a partir da interação estabelecida entre as duas ou mais consciências, suas histórias e culturas.

E na busca por um elemento de investigação que contemplasse as especificidades humanas dentro da história e da cultura, Vygotsky estudou a evolução dinâmica da língua a partir das transformações sofridas no significado das palavras, ao longo do desenvolvimento do sujeito. Já Bakhtin, ampliou essa perspectiva ao tratar a evolução semântica da língua a partir do confronto ideológico dos valores sociais, ao longo da história social do homem (JOBIM E SOUZA, 1994).

Com essas contribuições, os autores trouxeram novas perspectivas para a investigação nas Ciências Humanas e Sociais, pois construíram concepções de linguagem que realizaram uma mudança de paradigma no estudo dos processos psicológicos. Tal como explicita, contundentemente, a epígrafe deste texto, Lev Vygotsky e Mikhail Bakhtin não realizaram uma colcha de retalhos para compreenderem o funcionamento mental, mas, ao contrário, descobriram, na linguagem, o ponto de partida para a investigação das questões relacionadas ao sujeito e seu meio sócio-cultural.

1.3. A linguagem como material para o estudo do sujeito

É na linguagem e, por meio dela, que construímos a leitura da vida e da nossa própria história.

Solange Jobim e Souza

Mikhail Bakhtin (1997a) construiu sua concepção de linguagem a partir de críticas tecidas às correntes hegemônicas da lingüística de seu tempo, chamadas por ele de Objetivismo Abstrato e Subjetivismo

Idealista. Segundo o autor, ambas as correntes incorreram no erro metodológico de estudar a língua como um sistema de enunciados monológicos isolados, sem relação com o contexto de interação verbal. Em sua perspectiva da linguagem, a língua é compreendida como um fenômeno dialógico no fluxo da comunicação. Toda enunciação faz parte de um diálogo vivo entre interlocutores, que é formado por conteúdos presumidos e valorativos da língua.

Bakhtin (1997a) investigou como a linguagem determina a consciência e a atividade mental e, por outro lado, como a ideologia determina a linguagem. Desta forma, o autor construiu sua concepção de linguagem tentando compreender como a infra-estrutura determina o signo ideológico. Indagação que o materialismo histórico responde através da dialeticidade, pois os elementos que compõem a esfera ideológica estão em permanente interação com as transformações da infra-estrutura social. Concepção que pode ser melhor compreendida segundo as palavras do próprio Marx (1979), pois para ele *"A produção de idéias, de representações e da consciência, está, de início, diretamente entrelaçada com a atividade material e com o intercâmbio material dos homens, como a linguagem da vida real"* (p.36).

Dessa forma, Bakhtin (1997a) compreende que o psiquismo e a ideologia vivenciam uma relação dialética constante, pois têm o signo ideológico como material comum de sua constituição. Em suas palavras *"o signo ideológico vive graças a sua realização no psiquismo e, reciprocamente, a realização psíquica vive do suporte ideológico"* (p.16). Assim, é possível constatar que a palavra, com sua ubiqüidade social, está presente em todas as relações com os indivíduos e esferas ideológicas que compõem a sociedade.

Em sua teoria, a linguagem seria eleita como o principal material para investigação das Ciências Humanas e Sociais, pois o psiquismo não está manifestado nos recônditos da alma, mas contrariamente, está inteiramente exteriorizado através da palavra. Assim, o autor destaca que a interpretação dos sentidos das palavras conserva seu valor cognitivo e sua legitimidade científica, pois a simbologia *"é uma forma cientificamente diferente de conhecimento, dotada de suas próprias leis internas e de seus critérios de exatidão"* (1997b, p. 402).

Já Lev Vygotsky (1999b) investigou a relação dinâmica existente entre os processos de pensamento e linguagem e tratou a linguagem como elemento material que constitui as funções mentais superiores. Para ele, *"a palavra é o microcosmo da consciência humana"* (VYGOTSKY, 1993). Ela desempenha um papel central não apenas no desenvolvimento do pensamento, mas também, na evolução histórica da consciência como um todo.

Sendo a unidade fundamental da linguagem, a palavra é formada por dois componentes: o primeiro é a referência objetal e tem a função de designar; o segundo é o significado, que tem a função de separar traços, generalizar e introduzir o objeto num sistema de categorias. Ambas as partes sofrem alterações ao longo do desenvolvimento do sujeito e na história da humanidade (LURIA, 1987).

Para Vygotsky (1993), o significado da palavra é considerado a chave para a compreensão da relação dialética existente entre pensamento e linguagem. Portanto, é o elemento responsável pela formação da consciência (JOBIM E SOUZA, 1994). Ele não é a soma de todas as operações psicológicas que estão por trás das palavras, mas é algo mais definido: é a estrutura interna da operação do signo e se encontra entre o pensamento e a palavra. Dessa forma, Vygotsky (1999b) conclui essa questão ao defender que *"a análise semiótica é o único método adequado para estudar a estrutura do sistema e o conteúdo da consciência"* (p. 188).

Com as contribuições citadas de Vygotsky e Bakhtin compreendo que a linguagem seria o material que concretizaria a mudança de paradigma das Ciências Humanas, pois seu estudo recupera a originalidade com que devem ser tratadas as questões humanas e sociais (JOBIM E SOUZA, 1994). A linguagem é o material primordial para a compreensão de toda atividade mental, pois para Marx e Engels (1979) *"a linguagem é tão antiga quanto a consciência. A linguagem é a consciência real, prática, que existe para os outros homens e, portanto, existe para mim mesmo, e a linguagem nasce como a consciência, da carência, na necessidade de intercâmbio com outros homens"*(p.43).

Assim, busco, nas palavras e nos seus diferentes gêneros discursivos, um material privilegiado de investigação sobre o processo de formação da subjetividade na infância. Para isso, elejo os discursos memorialísticos do narrador, presentes no livro *Infância* (1980), de Graciliano Ramos, como material para a interpretação desse processo psicológico.

1.4. O processo metodológico

A leitura e interpretação dos discursos memorialísticos do narrador estão fundamentadas na análise documental do livro *Infância* de Graciliano Ramos (1980). Segundo Lüdke (1986), a análise documental da obra autobiográfica tem se mostrado uma valiosa técnica para abordagem de dados qualitativos, pois permite investigar a questão humana a partir da expressão do indivíduo, de sua linguagem.

A metodologia do presente ensaio foi fundamentada na leitura e reflexão, pois os meus elementos de interpretação estavam nas páginas dos livros, nos discursos memorialísticos do narrador. Assim, mergulhei na obra de Graciliano Ramos buscando a compreensão do processo de constituição da subjetividade a partir da interpretação do discurso literário. Para isso, analisei as narrativas memorialísticas que ilustravam situações de intersubjetividade que considerei importantes para o processo de constituição do sujeito.

Cumpre esclarecer que, apesar de interpretar os discursos de uma obra de nossa literatura, o objetivo do presente ensaio não foi realizar uma análise literária, mas, sim, compreender o processo de formação da subjetividade na infância, interpretando os discursos memorialísticos baseando-me no referencial sócio-histórico. Uma tentativa de compreender a infância a partir de uma outra via: a literatura, dando ênfase a um estudo singular da condição humana.

Capítulo 2

Pelas palavras do escritor

Segundo Antônio Cândido (1992a), para ler Graciliano Ramos é preciso aparelhar-se do espírito de jornada, pois sua obra se desdobra em etapas que se iniciam na narração de costumes e terminam na descrição das mais vívidas confissões pessoais.

Esse espírito de jornada pela complexidade que constitui a obra do autor me conduziu na produção deste ensaio. Foram longos meses mergulhados nos romances, nas memórias e nos trabalhos realizados sobre Graciliano Ramos. Meses, em que os personagens criados pelo autor, fizeram parte do meu cotidiano com expressiva proximidade, tornando-se cúmplices de um processo epistemológico.

Após me empenhar em fazer extensa pesquisa bibliográfica com a finalidade de conhecer o universo literário do escritor, encontro-me em estado de encantamento, ao trabalhar com a singularidade que envolve sua obra.

Ao resgatar a contribuição de diferentes correntes literárias, compreendo não estar assumindo posições contraditórias, por ter feito uma opção de me eximir da discussão sobre as premissas epistemológicas que fundamentam a análise literária em cada uma delas, pois esse debate não fazia parte dos objetivos do presente ensaio. Como mirante de minhas investigações, tive o método sociológico de análise do enunciado poético de Mikhail Bakhtin[5](1976), no qual o autor compreende a arte com um produto imanentemente social, influenciado pelo meio extra-artístico.

Bakhtin acentua a importância de rejeitar, como pontos de vista do estudo da obra de arte o processo de fetichização da obra de arte enquanto artefato e o estudo puro da psiquê do criador e do contemplador.

Tecendo uma crítica às premissas epistemológicas e metodológicas que influenciaram a análise estética nas correntes Formalista e Estruturalista, Bakhtin (1976) acentua que a obra de arte só pode ser estudada na interação com o leitor e com o seu meio social extra-lingüístico. Segundo ele, o *"artístico é uma forma especial de inter-relação entre o criador e contemplador fixada numa obra de arte"* (p. 6).

Neste sentido, tentando contemplar as especificidades desta inter-relação no presente ensaio, este capítulo é constituído por quatro partes: um resgate da biografia do escritor Graciliano Ramos; uma consideração sobre suas principais obras literárias; os trabalhos realizados sobre o livro *Infância* (1980) com referenciais teóricos situados na área da psicologia e, por último, a abordagem que questiona se o livro *Infância* é memória ou ficção.

2.1 - A vida do escritor

> *Nunca fui literato. Até pouco tempo vivia na roça e negociava. Por infelicidade virei prefeito no interior de Alagoas e escrevi uns relatórios que me desgraçaram. Veja o senhor como (palavras) aparentemente inofensivas inutilizam um cidadão.*

5 - Método de análise do enunciado poético que é trabalhado no artigo: O discurso na vida e o discurso na arte (1976).

Depois que redigi esses infames relatórios, os jornais e o governo resolveram não me deixar em paz.

Graciliano Ramos

Iniciamos a descrição de sua biografia resgatando um trecho da carta que Graciliano Ramos enviou ao tradutor Raúl Navarro, explicando que não poderia arranjar dados biográficos, para ilustrar a edição de um de seus livros, pois não tinha biografia (MORAES, 1992). Nesta longa epígrafe, Graciliano resume sua história, misturando modéstia e orgulho de quem foi sertanejo, conheceu as mazelas da seca e do coronelismo por viver no interior de Alagoas e por ter participado intensamente dos fatos político-culturais de sua época.

Ao longo de sua vida, Graciliano Ramos se destacou como figura importante em diversas instâncias, mas conservou um estilo de vida simples e austero. Foi um dos "maiores escritores da nossa literatura, um dos raros cuja alta qualidade parece crescer à medida que o relemos (CÂNDIDO, 1992a, p. 10). Foi um escritor de nosso tempo, pois seus personagens representavam os problemas que avassalam o homem no século XX. Expressavam o mundo posto pelo modernismo, no qual são desveladas as surpreendentes galerias do ser humano (NELLY, 1977).

Apesar da existência de algumas biografias sobre o escritor, Silveira (1982) relata a dificuldade para conhecer sua infância, devido o silêncio dos amigos, a ausência de fotografias e a pouca quantidade de documentos, entre outros materiais próprios para a reconstituição de sua vida.

No entanto, num resumido resgate de sua biografia, é possível afirmar que Graciliano Ramos de Oliveira nasceu em 27/10/1892, no vilarejo de Quebrângulo - palavra indígena que significa reunião - sendo o primogênito de uma família de 16 irmãos: Leonor, Otília, Clodoaldo, Otacília, Clodoaldo (o primeiro faleceu), Amália, Maria, Carmen, Carmen (a primeira tinha falecido), Célia, Lígia, Vanda, Clóvis e Heitor. De acordo com uma pesquisa realizada por Abel (1999), num cenário real e dramático, os irmãos Otacílio, Leonor e Clodoaldo faleceram num mesmo dia, vítimas de peste bubônica. A mãe e mais dois irmãos menores encontravam-se gravemente enfermos, acometidos pela mesma doença.

Segundo Moraes (1992), a mãe de Graciliano, Maria Amélia Ferro Bastos, tinha 14 anos na época de seu nascimento e seu pai, Sebastião Ramos de Oliveira, foi seu primeiro professor e o principal responsável pela rigidez que havia naquela família sertaneja. Ambos representavam um microcosmo da rígida tradição familiar nordestina, na qual a hierarquia representava um totem, e a figura paterna tinha supremacia como fonte de transmissão de valores que desencorajava resistências e distinções.

Na época de seu nascimento, Graciliano Ramos encontrou o Brasil em aguda crise social e política, além de intensas transformações culturais. Havia ínfima participação popular nas decisões políticas, inúmeras disputas sociais e incertezas quanto ao futuro. Assim, pode-se constatar que o autor nasceu num contexto marcado pela Abolição da Escravatura (1888), Proclamação da República (1889), a expulsão da Família Real de nossas fronteiras territoriais, a censura da imprensa e a existência de um tribunal de exceção para julgar quem atentasse contra a segurança do Estado (MORAES, 1992).

Os setores hegemônicos da economia estavam se beneficiando com a transição para o sistema capitalista, provocado pela descentralização econômica e financeira. Havia profundas desigualdades regionais e o sudeste estava se tornando um pólo nacional de desenvolvimento.

Além disso, Mestre Graça - como era carinhosamente chamado pelos amigos escritores - presenciou a Semana de Arte Moderna (1922), a Revolução de 1930, a Revolução Constitucionalista (1932), a Intentona Comunista (1935) e a implantação do Estado Novo (1937). Viveu sob o reflexo de duas Guerras Mundiais (1914 e 1939) e da Revolução Russa (1917) (VIANA, 1988).

As inúmeras mudanças que ilustraram sua biografia não se limitaram apenas às esferas sociais e políticas, pois Graciliano Ramos, desde sua infância, passou por várias transformações pessoais. Entre elas, podemos citar o fato de ter morado em diversas cidades como: Buíque, Viçosa, Rio de Janeiro e Maceió, onde conheceu as mais diferentes pessoas, transitando sempre por um ambiente multicultural.

Consideramos que sua vida teve inúmeras contradições e ambigüidades que hoje nos impossibilitam afirmar dados sobre sua personalidade, como sua posição política, religião, entre outros aspectos que se encontram nebulosos dentro da complexidade que é definir quem foi Graciliano Ramos.

Na infância, Graciliano Ramos teve experiências diversificadas com a educação e quase todas foram muito negativas, dada a sua dificuldade com a leitura, o despreparo e a rigidez dos professores no interior do nordeste. Aos nove anos de idade ainda não sabia ler, mas, pouco tempo depois, chegou a dirigir, juntamente com um primo, o jornal literário *Dilúculo* e nele publicou seu primeiro conto: *Pequeno pedinte*". A descoberta do prazer pela leitura transformou a vida do menino Graciliano. Escreveu vasta produção literária sob diferentes pseudônimos e, ainda novo, já se projetou no meio literário alagoano.

Em 1914, trabalhou no Rio de Janeiro como revisor dos jornais 'A Tarde', 'O Correio da Manhã' e 'O Século'. Em carta à irmã Leonor Ramos, o escritor confessa sua solidão e os dissabores da instabilidade profissional no Rio de Janeiro:

> Eu com franqueza, não sei bem se tenho carreira. O que acho natural, acessível a mim, é o que acima disse - trabalhar em dois jornais, ter um ordenado medíocre, viver modestamente e só. Futuro de outra espécie, coisa maior, não tenho, não posso ter. Pelo menos é o que me parece. Tenho o bom senso de julgar-me aproximadamente analfabeto. É claro que há muitos analfabetos que vencem, mas são criaturas que sabem cavar. E eu sou uma espécie de idiota (RAMOS, 1980a, p. 64-65).

Já em 1915, transformou-se em comerciante e instalou o próprio negócio - a loja 'Sincera'. Casou-se com Maria Augusta de Barros. Entretanto, Maria Augusta viveu apenas cinco anos ao lado de Graciliano, pois faleceu em decorrência de um aneurisma, em 1920, no parto do último de seus quatro filhos (ABEL, 1999). Nesta época, o escritor produzia crônicas para os jornais: 'O Índio' (em Palmeira dos Índios),

'Jornal de Alagoas' (em Maceió) e 'Paraíba do Sul' (no Rio de Janeiro).

Em carta para J. Pinto da Mota Lima Filho, Graciliano Ramos fala sobre sua condição de viúvo e pai de quatro filhos pequenos:

> Tenho quatro filhos: Márcio, Júnio, Múcio e Maria. Esta, coitadinha, provavelmente não viverá muito: está à morte. Se morrer será uma felicidade. Para que viver uma criaturinha sem mãe? Os outros são três rapazes endiabrados. O mais velhinho de quatro anos, conhece as letras e já começa a ler os títulos dos artigos dos jornais. São desenvolvidos, mas o segundo, Júnio, é de uma estupidez que me espanta"(Id. Ibdem, p. 70).

Teve cargos públicos como a presidência da Junta Escolar de Palmeiras dos Índios (1927), a prefeitura da mesma cidade (1928) e a chefia da Imprensa Oficial (1930). Como prefeito de Palmeiras dos Índios, Graciliano tentou moralizar a administração acabando com o clientelismo próprio do coronelismo. Enxugou o quadro de funcionários e se preocupou também com a saúde pública e a higiene, proibindo a criação de animais domésticos nas praças da cidade.

Segundo um relatório, escrito em 1929, e enviado ao governador de Alagoas, Graciliano diz: *"Não favoreci ninguém. Devo ter cometido numerosos disparates. Todos os meus erros, porém, foram da inteligência que é fraca"* (RAMOS, 1980c, p.174). Esse mesmo relatório chegou às mãos do editor A. Schimidt, que o consagrou como um grande romancista e publicou seu primeiro livro: *Caetés*, em 1933.

Graciliano Ramos foi ainda nomeado diretor da Instrução Pública de Alagoas e trabalhou intensamente para revolucionar os métodos de ensino utilizados durante os três anos em que exerceu o cargo.

Em seus romances, denunciava arbitrariedades e injustiças, realizando uma crítica social que ganhou repercussão internacional e provocou a prisão do escritor. Na década de 80, já tinha publicado mais de dois milhões de exemplares nos idiomas: alemão, francês, búlgaro, holandês, húngaro, inglês, italiano, japonês, polonês, romeno, russo e checo. No Brasil, publicara cerca de três milhões de exemplares, além dos títulos publicados no português de Portugal (ABEL, 1999).

No início do ano de 1936, o escritor recebeu alguns telefonemas com ameaças veladas e, no dia 3 de março de 1936, foi preso em sua casa sob a falsa acusação de ser comunista. Falsa acusação, pois Graciliano Ramos só se filiou ao Partido Comunista Brasileiro no dia 18 de agosto de 1945. O escritor permaneceu na prisão por nove meses. Foi libertado no dia 13 de janeiro de 1937 e registrou suas experiências no livro *Memórias do Cárcere* (1980b).

Em 1950, participou do III Congresso de Escritores em Salvador e, no ano seguinte, foi eleito presidente da Associação Brasileira de Escritores (ABE). No seu exercício, procurou combater o paternalismo dos editores e lutou pelo pagamento prévio dos escritos. Assim, tentou levar à ABE a marca da profissionalização; no entanto, não teve grande êxito (ABEL, 1999).

Em 1952, Graciliano foi a Paris convidado para participar das comemorações dos 150 anos do nascimento de Vitor Hugo. Passou pela Checoslováquia e chegou até a União Soviética. Uma viagem com pretexto de conhecer melhor o regime socialista, que inspirou a escrita de suas impressões no livro *Viagem*, de 1954.

Em 1953, Graciliano adoece e falece aos 60 anos de idade, publicando-se postumamente as obras: Memórias do Cárcere e Viagem.

Segundo Viana (1988), que considera o escritor essencialmente nordestino, o Estado de Alagoas partiu com ele para o Rio de Janeiro e nunca o deixou. *"A terra está em seus livros. Ele repartiu generosamente o Nordeste que tinha dentro de si. Mostrou toda a miséria do sertão, mas lutou por ele com as armas de que dispôs"* (p. 7).

2.2 - A obra do homem nordestino

> *A literatura está amalgamada com a vida de Graciliano. Encontramo-la na trajetória do infante, achamo-la na puberdade do novel autor, temo-la*

como atividade básica ou como função geradora de outros empreendimentos no adulto.

Carlos Alberto Abel

Considerar Graciliano Ramos um grande romancista é uma opinião freqüente entre os principais críticos literários e os amantes da literatura nacional. No entanto, Abel (1999) o considera o maior romancista brasileiro, por ter sido um artista completo, tanto na escritura da ficção quanto na teorização acerca da literatura. A literatura foi um elemento constitutivo do cidadão e do artista. Foi através dela que Graciliano Ramos ultrapassou as cercas áridas da pequena cidade no interior do nordeste e se tornou um homem do mundo. Um grande romancista.

Para Abel (1999), antes de ser literato, Graciliano Ramos foi um grande cidadão, pois não se alienou para criar sua obra. Criou-a dentro de um contexto e de uma situação sócio-política definidos e objetivos. Assim, o crítico define Graciliano como sendo *"um indivíduo cuja inteireza do caráter não teve jamais, uma queda. Não apenas um grande escritor, muito mais, um grande homem"* (p. 19).

Cândido (1992a) ressalta que Graciliano Ramos passou da ficção para a autobiografia como um desdobramento coerente e necessário de sua obra. De acordo com sua produção e pela seqüência na qual os livros foram escritos, pode-se perceber como foi se acentuando a necessidade de abastecer a imaginação com o arsenal de memória, ao ponto do autor deixar a ficção em prol das recordações.

Cândido (1992b) categoriza as obras de Graciliano Ramos da seguinte forma: romances narrados na primeira pessoa que são constituídos por uma pesquisa progressiva da alma humana. Neles, o autor busca descobrir o que vai de mais recôndito no ser humano, sob as aparências da vida superficial. Além desse viés, os romances abrangem, por outro lado, um retrato da realidade com uma análise social. São eles: *Caetés* (1933), *São Bernardo* (1934) e *Angústia* (1936). Romances narrados na segunda pessoa que priorizam uma visão mais destacada da realidade, estudando modos de ser e condições de existência. Exemplo:

Vidas Secas (1938). E, finalmente, as autobiografias, nas quais a subjetividade do autor encontra sua expressão mais pura. Ele é o problema e o caso humano: *Infância* (1945) e *Memórias do Cárcere* (1953).

Em todos os textos estão presentes a correção da escrita e a suprema expressividade da linguagem, assim como a secura da visão do mundo e o acentuado pessimismo. Grace, como era chamado pelos irmãos, foi um escritor substantivo que procurou evitar o uso abusivo de adjetivos e o emprego inadequado dos pronomes. Com uma literatura regionalista e ao mesmo tempo universal, pois é válida em qualquer época histórica e sociedade, Graciliano tornou-se um clássico ainda em vida (ABEL, 1999).

Para concluir a exposição sobre sua obra, concordo com Cândido (1992b) ao afirmar que *"no âmago da sua arte há um desejo interno de testemunhar sobre o homem, e que tanto os personagens criados quanto, em seguida, ele próprio são projeções desse impulso fundamental, que constitui a unidade profunda dos livros"* (p : 72).

2.3 - Sobre as palavras e a vida do escritor: trabalhos acadêmicos já realizados

Graciliano Ramos já foi objeto de estudo de várias áreas do conhecimento e tema de inúmeras produções acadêmicas. Sobre ele, encontrei trabalhos que privilegiam os aspectos lingüísticos de suas composições; análises literárias e suas formas de criação; trabalhos sobre a biografia do autor; trabalhos de interpretação psicológica, psicanalítica, filosófica e criminalística.

Dentre eles, destaco um interesse especial pela dimensão psicológica que Graciliano Ramos alcança em seus romances, o estilo da narrativa em primeira pessoa, pela sua suposta posição marxista e a tardia adesão ao Partido Comunista Brasileiro. Mas como o presente ensaio se situa na intertextualidade da Psicologia e da Educação, farei apenas um resgate das principais produções sobre Graciliano Ramos que se situam nas interfaces dessas duas áreas do conhecimento.

Há dois trabalhos com especial relevância para o presente ensaio e, por isso, foram estudados pormenorizadamente. São eles: *Graciliano Ramos: reflexos de sua personalidade em sua obra*, de Feldmann (1967) e *O bezerro-encourado ou as terríveis armas - uma análise de Infância de Graciliano Ramos*, de Oliveira (1978). Os trabalhos são, respectivamente, uma tese de doutoramento e uma dissertação mestrado. Foram construídas em pós-graduações de Letras, com embasamento teórico na teoria psicanalítica freudiana, mas deram enfoques totalmente diferentes, como será visto a seguir.

O primeiro trabalho é obra de um professor alemão que lecionava na UFCE e procurava estabelecer conexões anímicas e ambientais de que a temática e o estilo de Graciliano Ramos estão impregnados. Feldmann (1967) enfatizou o estudo dos aspectos psicológicos da obra de Graciliano, dado o profundo interesse que o romancista manifestou pela instrospecção e o estudo do sujeito. A partir disso, Feldmann (1967) e outros críticos literários consideram o livro *Infância* como a chave para a compreensão dos demais romances do autor, porque, segundo eles, Graciliano tinha a vocação de ficcionista confinada às suas próprias experiências. Para o pesquisador, *"Em Infância está subjacente o pensamento freudiano de que a vida e a obra de um homem só podem ser entendidos como variações mais amplas da infância"* (p. 30). Por conseguinte, sua personalidade marcava todas as suas obras, tanto as de reminiscências, como as de ficção.

Feldmann defende, ainda, que o romancista buscava, através de seus heróis, analisar e superar uma realidade pessoal. João Valério, Paulo Honório, Fabiano e Luis da Silva seriam fragmentos de sua personalidade.

Tentando resumir as idéias principais de Feldmann, ele nos diz que *"A obra de arte literária só se legitima quando há entrelaçamento da arte com a vida. Graciliano só conseguiu esse objetivo quando sua criação literária tornou-se, em essência, uma projeção do seu eu"* (1967, p. 66). E para comprovar a tese de que Graciliano Ramos projeta sua personalidade em seus heróis, Feldmann estudou alguns dos personagens centrais do livro Infância. São eles:

O patriarca da família na figura do avô Pedro Ferro, um sertanejo, descendente de uma família tradicional de criadores de gado que viveu solitário numa modesta fazenda. De acordo com os relatos do narrador, o sertanejo era profundo conhecedor do sertão, terra e animais. Graciliano Ramos assim nos apresenta o avô no livro *Infância: "... taciturno mas atento às conversas, olhos aparentemente perdidos deslizando sobre cada um dos familiares, onde observa com amor e cuidado paternal muitas coisas que escapariam ao observador desinteressado"* (RAMOS, 1980, p. 22). Desse avô, o escritor poderia tirar a inspiração para vários de seus heróis sertanejos que também eram profundos conhecedores dos animais e das terras.

Outra figura importante no livro seria o segundo avô, Tertuliano Ramos, de quem herdou o ideal de artista. Em sua história, foi comerciante na juventude e, através do casamento, tornou-se latifundiário da zona canavieira. Mas, o êxito durou pouco. Fracassou e se resignou com a perda de suas propriedades, do status social e em viver na dependência dos filhos. Transformou-se em cesteiro, atividade que realizava com habilidade e concentração de toda a sua atenção.

O avô opunha sua produção aos modelos tradicionais da época por considerá-los sobrecarregados de adornos, o que não lhe conferia popularidade entre os compradores das urupemas[6]. Segundo Feldmann (1967), Graciliano se identifica com a natureza de artista do avô e seus trabalhos manuais correspondem aos romances de Graciliano, pois o processo de criação era o mesmo: habilidade e paciência, numa obstinação concentrada.

Para terminar, o autor faz um estudo sobre o auto-retrato de Graciliano Ramos encontrado nos relatos de *Infância* e sugere que esse conhecimento pode ajudar na compreensão dos heróis de seus outros romances. O auto-retrato é estudado a partir de uma concepção de vida fatalista, na qual Graciliano Ramos atribui à hereditariedade e ao meio ambiente a responsabilidade pelo seu juízo fraco e desengonço, em relação aos demais meninos de sua idade.

6 - De acordo com as narrativas do livro, é possível compreender que as urupemas tratam de uma modalidade de peneiras feitas artesanalmente.

O autor faz-me notar o quanto Graciliano Ramos é objetivo no auto-retrato, ao falar de sua relação com os pais, que passaram por dificuldades financeiras, falências e não deram aos filhos a atenção e amor desejados. A mãe, sem disfarçar a antipatia que nutria pelo menino, de acordo com suas próprias palavras, chamava-o de "bezerro-encourado".

Segundo as análises de Feldmann (1967), *"a aversão da mãe e a aspereza do pai roubam-lhe toda a confiança em si próprio"* (p. 99), o que fica evidente no seguinte trecho de *Infância* : *"E ali permaneci, miúdo, insignificante, tão insignificante e miúdo como as aranhas que trabalhavam na teia negra"* (RAMOS, 1980, p. 35). O estado de encolhimento seria o mais representativo da infância do menino Graciliano, pois, em inúmeras passagens narradas, ele conta sobre o encolhimento no alpendre, no quintal, no quarto, na escola e em outros lugares que freqüentava.

Feldmann (1967) chama a nossa atenção para o sentimento de fraqueza e de inaptidão que se apoderava de Graciliano e o impedia de reagir. Ao contrário, encolhia-se. Encolhido e silencioso, agüentava cascudos, aceitava o aniquilamento com resignação, como no trecho que segue, no qual ele relata sua entrada na escola: *"Arranjaram impiedosos o sacrifício - e eu me deixava arrastar, mole e resignado, rês infeliz antevendo o matadouro... Tinham-me domado. Na civilização e na fraqueza, ia para onde me impeliam muito dócil, muito leve"* (Id. Ibidem, 1980 , p. 117).

Já o trabalho de Oliveira (1978), como havia exposto anteriormente, apesar de também seguir os pressupostos psicanalíticos freudianos para interpretar a obra *Infância*, o faz por caminhos bem diferentes. Caminhos que resultam no mais interessante trabalho que pesquisei sobre a obra de Graciliano Ramos.

Nas páginas iniciais de seu trabalho, Oliveira (1978) apresenta, como objetivo da pesquisa, a leitura do livro como texto de representação. Desta forma, a autora não o classifica em ficcional ou memorialista. Para justificar essa posição, ela destaca, primeiramente, a inexistência de um ensaio sobre o livro *Infância "como texto de representação cujo significado se constrói a partir de suas peculiaridades como fazer literário"* (1978, p. 1). Posteriormente, a autora acrescenta que a edição do livro *Infância*, datada de 1975, não traz, como as anteriores, o aposto de memórias.

Miranda (1992) corrobora minha posição em relação à qualidade da interpretação de Oliveira (1978), ao apontar o trabalho pela sua supremacia, que pode ser compreendida como sendo resultado da habilidade da autora em restituir a autonomia do texto em texto literário. Miranda (1992) também aponta que Oliveira (1978) faz uma leitura usando os pressupostos psicanalíticos, mas não se preocupa, propositadamente, em distinguir o texto em ficção ou não ficção, pois busca compreender o discurso literário da memória e, através dele, descobrir os conteúdos inconscientes.

Para Oliveira (1978), as memórias sofrem profundas deformações inconscientes. Desta forma, o que o adulto relata é uma superficialidade que escamoteia o conteúdo não manifesto que deseja ser esquecido, por ser traumático. A autora estuda as relações que existem no jogo metafórico do livro *Infância*, visando investigar os detalhes que, dissimulados na trama textual, se ofereçam como pistas seguras para chegarmos aos conteúdos reprimidos. Assim, interpreta nos não-ditos a formação do narrador, através de categorias que analisem o menino vingativo, sua relação com o poder, o determinismo e o arbítrio, a aprendizagem da leitura e, finalmente, o uso da linguagem como arma para quebrar a autoridade paterna.

Após a delimitação da posição a ser seguida, a autora parte para uma crítica sobre a obra de Feldmann (1967), nosso primeiro interlocutor. Segundo ela, o trabalho citado incorre em vários equívocos, sendo que o principal deles foi não considerar a especificidade do discurso literário. O texto de Feldmann se torna inconsistente por ter trabalhado com uma exposição da vida de Graciliano Ramos sem relevar as deformações feitas pelo inconsciente e pela imaginação. O pesquisador tratou os relatos do livro *Infância* como se fossem documentários objetivos e não textos literários.

Além disso, Feldmann (1967) fragmentou a obra de Graciliano Ramos para utilizar apenas as passagens que dessem acesso aos demais romances, pois trabalhou somente com trechos que comprovassem a idéia de que Graciliano projetava aspectos de sua personalidade nos demais heróis de seus romances. Para finalizar, Oliveira (1978) ressalta que a tese de Feldmann (1967) prende as obras de Graciliano Ramos a partir de um determinismo exterior a elas, pois ele indica o livro *Infância* como fonte de consulta para os demais romances, pois nele haveria indícios para a compreensão dos outros heróis graciliânicos.

O trabalho de Oliveira (1978) prossegue realizando uma minuciosa interpretação dos discursos do personagem com base na teoria psicanalítica freudiana. No desenvolvimento de sua dissertação, a autora mostra a aprendizagem da linguagem como uma poderosa arma de combate da autoridade paterna. Segundo ela, *"seu hábil manejo possibilita a realização do desejo de apropriação do poder por parte daquele que, numa relação de poder e violência, revela-se de menor força"* (p. 16). No livro, a leitura é apresentada como uma arma terrível: o lugar de realização dos desejos reprimidos.

Na pesquisa sobre as principais referências em que me apropriei para construir a intertextualidade proposta, ficou evidente a necessidade de retratar a gênese do livro *Infância* para compreender o processo criativo do autor.

2.4 - A gênese do livro infância

> *Um dia destes, no banheiro, veio-me de repente uma ótima idéia para um livro. Ficou-me logo a coisa pronta na cabeça, e até me apareceram os títulos dos capítulos, que escrevi quando saí do banheiro, para não esquecê-los. Aqui vão eles: Sombras, O Inferno, José, As Almas, Letras, Meu Avô, Emília, Os Astrônomos, Cegueira, Fernando, Samuel Smiles. Provavelmente me virão idéias para novos capítulos, mas o que já há, dá para um livro. Vou ver se consigo escrevê-lo depois de terminado o Angústia. Parece que pode render umas coisas interessantes.*
>
> Graciliano Ramos

Tal como a longa epígrafe apresentada, Graciliano Ramos descreveu a gênese do livro *Infância* em carta enviada à sua esposa, Heloísa Ramos, em 28 de janeiro de 1936. Na ocasião, o escritor morava no Rio de Janeiro e trabalhava como revisor de jornais. A escrita das cartas funcionava como uma espécie de diário, no qual o escritor comentava o enredo, a construção dos personagens e a qualidade do livro produzido.

Em 1942, planejou a reconstrução de sua infância e escreveu 7 capítulos. Em 1943, escreveu mais 7 capítulos e em 1944, os 10 capítulos finais. Entretanto, os capítulos foram escritos sob a forma de contos e publicados separadamente no Diário de Notícias. Publicação que não comprometeu sua unidade artística, pois cada capítulo forma uma história em si, mas exige o complemento das demais (FELDMANN, 1967).

A postura de alguns críticos literários (FELDMANN 1967; FARIA, 1977), de considerar a obra *Infância* como essencial para a compreensão dos demais livros de Graciliano, produz uma questão de complexa interpretação que é a veracidade ou verossimilhança das memórias expostas nos livros autobiográficos do autor. Faria (1977) considera, especificamente, *Infância* como o livro mais importante para a compreensão da obra literária de Graciliano Ramos, pois

> o sentido que tem do humano é o que o menino adquiriu no contato com os homens que o cercavam, com quem travou as primeiras relações, de quem recebeu as primeiras ordens, que conheceu nas suas inúmeras fraquezas. (...) Em Graciliano Ramos, o menino Graciliano é tudo. (...) Seus heróis são o menino, sua revolta é o menino" (p. 175).

Por apresentar como recurso estilístico a narrativa em primeira pessoa do singular, a leitura do livro *Infância* me levou a opor o mundo imaginário ao mundo empírico. Questionava se alguém seria capaz de narrar, com tanta objetividade e riqueza de detalhes físicos e psicológicos, uma infância demasiadamente triste e solitária. Assim, a leitura do livro me impeliu à compreensão das categorias verossimilhança e verdade, no discurso literário.

Segundo Abel (1999), pode-se considerar verossímil um fato crível que nos leva a pensar a ficção como algo que seria possível acontecer em nosso mundo de experiências quotidianas. Já o verdadeiro, está apoiado em fatos empíricos e, de um modo geral, presente nas obras não literárias, pois se apóia no contexto extra-verbal e nas situações existentes. Complementando essa categorização, Abel (1999) nos fala que na literatura o que interessa é o verossímil porque ela *"é um discurso contextualmente fechado que institui sua verdade própria, organizada estética e semanticamente"* (p. 245).

Graciliano Ramos apresenta uma preocupação com a dicotomia entre o verossímil e o verdadeiro nos seus romances e biografias, pois não são raras as passagens em que o escritor fala sobre seu processo de produção artística[7]. Para Grace *"a narrativa literária e não literária devem ter, como escopo, a verossimilhança. A narração deve transmitir-nos sentido da verdade, porém, primordialmente, há de ser verossímil, isto é, merecer crédito"* (ABEL, 1999, p. 246).

Dessa forma, nos livros autobiográficos de Graciliano Ramos, a memória voluntária e involuntária formam a base da presentificação do passado. Além disso, é possível compreender que Graciliano Ramos relatou o que podia ter acontecido, sua visão dos acontecimentos é influenciada

7 - O livro Infância (1980) é iniciado com a memória do narrador sobre um vaso cheio de pitombas. Num estado de memória nebulosa, próprio da idade de dois ou três anos em que aconteceu o fato, o narrador não está seguro de ter presenciado, realmente, o acontecimento rememorado. Pensa ter sonhado ou constituído a cena a partir das enunciações das pessoas que confirmaram o episódio.

Há outros exemplos de seu processo criativo em Memórias do Cárcere (1980b). Como exemplo, é possível citar quando o prisioneiro que narra o livro é obrigado a livrar-se das anotações que fizera ao longo de sua prisão. Quando decide escrever suas memórias, já não tinha o diário citado nas mãos e questiona se teria sido uma perda irreparável para a elaboração das escrituras. Com o trecho a seguir, é possível compreender que não.

> Se ele existisse, ver-me-ia propenso a consultá-lo a cada instante, mortificar-me-ia por dizer com rigor a hora exata de uma partida, quantas demoradas tristezas se aqueciam ao sol pálido, em manhã bruma, a cor das folhas que tombavam das árvores, num pátio branco, a forma dos montes verdes, tintos de luz, frases autênticas, gestos, gritos, gemidos. Mas que significa isso? Essas coisas verdadeiras podem não ser verossímeis (p. 36).

pelas idiossincrasias próprias dos sujeitos. Aristóteles já dizia ser *"evidente que não compete ao poeta narrar exatamente o que aconteceu, mas sim o que poderia ter acontecido, o possível, segundo a verossimilhança ou a necessidade"* (1959, p. 286 apud ABEL, 1999, p. 246).

Assim é possível concluir que, no livro *Infância*, o romancista nos presenteou com um texto ambíguo que pode ser lido como verdade e verossimilhança; um texto que amplia as possibilidades de interpretação e compreensão do discurso literário. Dessa forma, será exatamente apoiada nesta ambigüidade que estará fundamentada a compreensão dos discursos do narrador no presente ensaio, pois as memórias narradas no livro *Infância* serão trabalhadas em sua especificidade de texto literário.

Dentro da complexidade da obra de Mestre Graça, a dicotomia verdade e verossimilhança é mais um aspecto que merece estudo e reflexão. Para tanto, ela será abordada na temática da utilização da memória para a construção da autobiografia ou do romance *Infância*.

2.5 - Infância: memórias ou palavras do escritor?

> Datam desse tempo as minhas mais antigas recordações do ambiente onde me desenvolvi como um pequeno animal. Até agora algumas pessoas, ou fragmentos de pessoas, tinham-se manifestado, mas, para bem dizer, fora do espaço. Começaram pouco-a-pouco a localizar-se, o que me transtornou. Apareceram lugares imprecisos, e entre eles não havia continuidade. Pontos nebulosos, ilhas esboçando-se no universo vazio.
>
> Graciliano Ramos

Há algumas divergências entre os críticos literários (FARIA, 1977; MARTINS, 1977; CÂNDIDO, 1992a; MIRANDA, 1992; FELDMANN, 1967, OLIVEIRA, 1978) sobre a veracidade dos discursos do narrador apresentados no livro *Infância*. Elas se acentuam porque parte dos personagens existentes neste livro encontram-se também em outros romances[8] do autor, provocando uma compreensão ambígua de que esses personagens saltaram da vida do autor para os romances, ou dos romances para ilustrar a escritura de sua vida.

O livro *Infância*, especificamente, é narrado por um adulto que rememora suas primeiras e mais significativas experiências de criança. No capítulo inicial, *Nuvens*, o narrador fala de suas memórias numa descrição fragmentada e acompanhada de uma imagem espessamente nebulosa que envolve os acontecimentos, pois como poderia diferenciar o acontecido do imaginado? Segundo o narrador: *"desse antigo verão que me alterou a vida restam ligeiros traços apenas. E nem deles posso afirmar que efetivamente me recorde. O hábito me leva a criar um ambiente, imaginar fatos a que atribuo realidade "* (RAMOS, 1980, p. 26).

Essa nebulosidade pode ser explicada pelo fato de as memórias narradas datarem de um período da vida da criança em que seu processo de formação da subjetividade ainda não apresentava os contornos que delimitavam seu eu e, portanto, a diferenciavam das demais pessoas e coisas de seu meio sócio-cultural. Num trecho do livro, o narrador confessa: *"Houve uma segunda aberta entre as nuvens espessas que me cobriam: percebi muitas caras, palavras insensatas. Que idade teria eu? Pelas contas de minha mãe, andava em dois ou três anos"* (RAMOS, 1980, p. 9).

Nas narrativas memorialísticas do livro, o adulto apresenta a perspectiva da criança ao ver o mundo, situa o papel que ela ocupa no espaço com sua pequena estatura e, por conseguinte, a dimensão que ela percebe das salas, do pátio e da barba de um velho professor que dominava uma negra mesa, cheia de meninos que aprendiam o alfabeto.

Segundo o narrador: *"Achava-me numa sala vasta, de paredes sujas. Com certeza não era tão vasta, como presumi: visitei outras semelhantes, bem mesquinhas. Contudo pareceu-me enorme. Defronte alargava-se um pátio, enorme também, e no fim do pátio cresciam árvores enormes, carregadas de pitombas"* (Id. Ibdem, pp. 9-10).

Como o autor, em tão tenra idade, se lembraria de tais

8. Cf: RAMOS: 1980c, 1980d, 1980e, 1980f.

acontecimentos? Estaria romanceando sua biografia? Questões como essas nortearam o pensamento de vários críticos literários no desejo de compreender a relação existente entre o autor da obra - Graciliano Ramos - e o adulto narrador do livro *Infância*.

A despeito delas, estabelecerei um diálogo sobre as principais posições defendidas pelos críticos estudiosos da obra memorialística de Graciliano Ramos.

Inicio o diálogo com as palavras de Martins (1977), introduzindo a seguinte questão: Quem poderia delimitar a realidade e a ficção da obra *Infância*? Para o crítico, *"... os livros de Graciliano Ramos, os de memórias e os de imaginação, entrecruzando-se tão intimamente, nos oferecem uma confirmação oportuna de que é impossível distinguir no homem o que é inventado do que é recordado"* (p. 44).

Para Cândido (1992a), os livros de memórias *Infância* e *Memórias do Cárcere* trazem dados que contribuem para a compreensão das demais obras do autor, pois não revelam apenas algumas características pessoais transpostas para o romance, mas mostram o modo de ser do escritor, permitindo, com isso, uma melhor interpretação de sua atitude literária. Ao defender essa idéia, Cândido se diferenciava da posição hegemônica da crítica literária de sua época, pois a corrente literária formalista acreditava no valor da obra literária por si mesma, devendo ser considerada independentemente da pessoa do criador.

Segundo o mesmo autor, o livro *Infância* pode ser também considerado uma obra fictícia pois, *"sua fatura convém tanto à exposição de verdade quanto da vida imaginária; nele as pessoas parecem personagens e o escritor se aproxima delas por meio da interpretação literária, situando-se como criações"* (CÂNDIDO, 1992, p. 40). Neste caso, é possível considerar que toda a biografia de um artista teria um pouco de romance, dada a sua incapacidade de retratar a vida sem recriá-la. Além disso, o livro *Infância* é considerado por Cândido a obra prima de Graciliano Ramos *"... pela transposição magistral da vida em obra de arte, pela imparcialidade com que sobrepõe os direitos do artista às solicitações da vaidade e da criação"* (1992a, p. 163).

Ao analisar textos autobiográficos de outros escritores, Cândido indaga se são poéticos ou fictícios e, num artigo publicado no *Jornal de Minas* dos dias 20-21/03/1976, declara que eles *"... têm um substrato que permite lê-los reversivelmente como recordação ou como invenção, como documento da memória ou como uma obra criativa, numa espécie de dupla leitura ou leitura dupla, cuja força, todavia, provém dela ser, simultaneamente, não alternativa"* [9].

Estudioso da obra memorialística de Graciliano Ramos, Miranda (1992) partilha da mesma posição que Cândido, pois para ele a autobiografia não é um depositário fiel da experiência vivencial do escritor. Ele a recria com a sua imaginação no momento em que a transpõe para o papel. Kenski (1997) corrobora as posições citadas acima ao afirmar que a rememoração não resgata a pureza original com que os fatos se deram na infância. Por mais nítidas que pareçam as rememorações, elas não são as mesmas imagens que experimentamos na época do acontecimento, porque *"nós não somos os mesmos de então e porque nossa percepção alterou-se e, com ela, nossas idéias, nosso juízos de realidade e valor"* (Idem, p. 55).

O narrador do livro reconstrói sua biografia por meio das narrativas porque a linguagem é um instrumento socializador da memória (BOSI, 1994). Ele nos conta uma *" história cheia de memórias mas cheia também de revisões, de recuperações, de construções atuais daquilo que foi passado"* (KENSKI, 1997, p.150), dando à narrativa memorialística um caracter ficcional.

Ao demarcarem suas posições, os críticos corroboram a complexidade existente na obra de Graciliano Ramos. Entretanto, o fizeram privilegiando a interpretação literária e não partindo de uma análise sistemática da relação estabelecida entre o autor e o herói do livro *Infância*. Dessa forma, apresento, como contra-palavras do diálogo iniciado, a contribuição de Mikhail Bakhtin (1997b) para analisar o princípio estético que fundamenta a relação do autor do livro Infância e seu herói e narrador.

9- In: Viagem ao mundo planetário onde moram os poetas Carlos Drumond de Andrade e Murilo Mendes..

2.6 - Graciliano Ramos e o narrador de infância

Antes de adentrar na análise se o livro é uma autobiografia ou um romance, considero importante definir o sentido de autobiografia que está sendo trabalhado.

Surgido no final da Idade Média e no início do Renascimento, o gênero literário autobiográfico apareceu como uma necessidade de configuração ideológica do mundo ocidental. Ocorreu a partir da formação do individualismo moderno, na época da Luzes e em 1729 com a declaração dos Direitos dos Homens e Cidadãos (MIRANDA, 1992).

Ao estudar a autobiografia com minúcia, Bakhtin (1997b) a categoriza como sendo *"a narrativa de uma vida, uma forma tão imediata quanto possível, e que me seja transcendente, mediante a qual posso objetivar meu eu e minha vida num plano artístico"* (p.165). Na autobiografia há a contraditória coincidência entre o autor e o herói, pois o autor é uma parte integrante do todo artístico e, como tal, não poderia coincidir com o herói, que também é parte integrante dele. O autor se situa muito próximo de seu herói, *"parecem ser intercambiáveis nos lugares que ocupam respectivamente e é por esta razão que se torna possível a coincidência de pessoas entre o autor e o herói"* (Id. Ibidem, p. 166).

O autor *"é o depositário da tensão exercida pela unidade de um todo acabado, o todo do herói e o todo da obra"* (Id. Ibidem, p. 32). A consciência do autor engloba e acaba a consciência do herói e do seu mundo, pois o autor vê e sabe mais que o herói. *"O discurso do herói sobre si mesmo está impregnado do discurso do autor - criador sobre o herói"* (Id. Ibidem, p. 283). O autor modifica as particularidades do herói, *"seus traços característicos, os episódios de sua vida, seus atos, pensamentos, sentimentos, do mesmo modo que, na vida, reagimos com um juízo de valor a todas as manifestações daqueles que nos rodeiam"* (Id. Ibidem, p.25).

O excedente de visão do autor em relação ao herói foi chamado por Bakhtin de exotopia. Segundo ele, a exotopia é o fato de uma consciência estar fora de outra, de uma consciência ver a outra como um todo acabado, o que não pode fazer consigo mesma. A exotopia é uma conquista, pois é mais fácil perder a pele que salvá-la na obra literária. Quanto mais o autor se identifica com o personagem, mais suas posições se confundem. Quanto menos firme é a posição do autor fora do herói, mais mal acabado será o herói e a narrativa, pois o acontecimento estético pressupõe duas consciências que não coincidem.

A exotopia é uma relação impregnada de uma tensão no espaço, no tempo e nos valores. Na obra *Infância*, assiste-se a uma relação tensionada entre o autor da obra, o escritor Graciliano Ramos, e o narrador do livro, que fala sobre uma infância nordestina - que pode ser a do escritor. A relação é tensionada, pois, em muitos trechos, a narrativa parece adotar uma postura retrospectiva de Graciliano Ramos, como se, da vida adulta, ele se remetesse à sua infância. Graciliano justifica traços de sua personalidade madura com os acontecimentos narrados nos livros ou com a relação que manteve com determinados protagonistas de sua história. Já em outros trechos, o livro não parece tratar da biografia de tão ilustre escritor, pois o narrador descreve a história de uma simples criança nordestina.

Tal como o esquema apresentado abaixo, o excedente de visão entre as consciências do autor e do herói é garantido pela memória reconstrutiva e pela imaginação do escritor, pois lembrar não é apenas reviver o que aconteceu, mas sim *"refazer, reconstruir, repensar, com imagens e idéias de hoje, as experiências do passado"* (BOSI, 1994, p. 55). Esses processos psicológicos não permitem que ambas as consciências ocupem o mesmo campo de valores, pois, ao rememorar sua infância, o escritor introduz vários elementos provenientes das condições emocionais, morais e intelectuais de que dispõe no presente.

Graciliano respondeu às indagações da crítica literária sobre o conteúdo de seus livros autobiográficos ainda em vida, numa correspondência enviada à sua irmã - Marili Ramos. Segundo ele: *"Só conseguimos deitar sobre o papel os nossos sentimentos, a nossa vida. Arte é sangue, é carne. Além disso não há nada. As nossas personagens são pedaços de nós mesmos, só podemos expor o que somos"* (RAMOS, 1980a, p.197).

Livro Infância

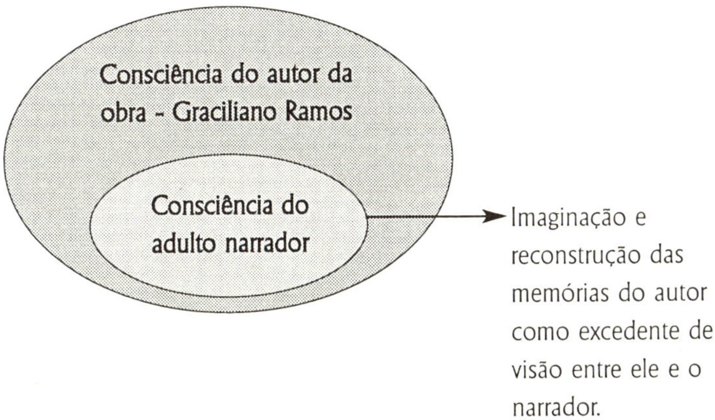

Dessa forma, considero que suas memórias da infância são ainda mais reveladoras com os detalhes acrescentados pela sua imaginação. E assim, parto para uma compreensão teórica sobre a constituição do processo mnemônico como um fenômeno social na perspectiva sócio-histórica.

Capítulo 3

Memórias de Infância

A primeira coisa que guardei na memória foi um vaso de louça vidrada, cheio de pitombas, escondido atrás de uma porta. Ignoro onde o vi, quando o vi, e se uma parte do caso remoto não desaguasse noutro posterior, julgá-lo-ia sonho. Talvez nem me recorde bem do vaso: é possível que a imagem, brilhante e esguia, permaneça por eu ter comunicado a pessoas que a confirmaram. Assim, não conservo a lembrança de uma alfaia esquisita, mas a reprodução dela, corroborada por indivíduos que lhe fixaram o conteúdo e a forma. De qualquer modo a aparição deve ter sido real.

Graciliano Ramos

Ao fazer uma incursão pelas narrativas do livro *Infância*, torna-se claro que os processos de memorização, rememoração e esquecimento são construídos socialmente. O narrador do livro rememora sua infância a partir das experiências que vivenciou com as pessoas que faziam parte do seu ciclo de convivência: sua família, os vaqueiros que freqüentavam o alpendre do pai, os professores e demais protagonistas que imprimiram uma substancialidade às suas lembranças. Assim, o livro retrata o processo mnemônico como uma tensão entre o social e o individual, em que há a internalização dos episódios acontecidos através de várias vozes que se misturam, se transformam e se tornam lembranças singulares da infância vivida.

Dessa forma, com o livro de Graciliano Ramos foi possível compreender que o contexto sócio-cultural não é apenas um pano de fundo para a constituição da memória, mas é verdadeiramente sua matéria. E essa característica fica evidente na epígrafe que ilustra o início deste texto, uma vez que as memórias do narrador vão ganhando concretude na medida em que outros protagonistas participam do processo de rememoração.

Ao evocar sua primeira lembrança de infância, um vaso vidrado cheio de pitombas, o narrador nos fala que algumas pessoas corroboraram sua lembrança e, assim, confirma as palavras de Bosi (1994), pois, segundo a autora, *"somos de nossas recordações apenas uma testemunha que às vezes não crê em seus próprios olhos e faz um apelo constante ao outro para que confirme nossa visão"* (p. 407).

As memórias narradas no livro não representam a descrição verídica dos fatos de uma infância nordestina, pois seria impossível resgatar com fidedignidade absoluta todas as lembranças evocadas.

Os episódios evocados no livro não ficaram cristalizados na consciência do narrador, pois a memória é um processo permanente de reconstrução do passado que é determinada pelas condições concretas que o sujeito tem no presente. Condições intelectuais, éticas, emocionais e afetivas que imprimem outras tonalidades nas imagens lembradas. Imprimem outras entonações nas palavras evocadas.

Por isso, tal como as palavras que ilustram o início deste texto, o narrador não conservou a lembrança de uma alfaia esquisita, mas a sua reprodução, que foi o resultado de uma construção coletiva e das representações simbólicas que ele dispunha no momento da evocação desta lembrança. A lembrança da alfaia nunca se repetirá, pois a cada rememoração novos elementos comporão o episódio narrado e por conseguinte, transformarão sua lembrança.

No entrecruzamento de passado e presente, é possível afirmar que

> o valor emocional e intelectual da lembrança original não é mais o mesmo. Recupera-se o passado vivido no presente, então, ele se descaracteriza como realidade. Não se está no passado, mas no contexto existente no momento presente e, de alguma forma, a lembrança é relativizada pelas condições atuais em que ela é recuperada" (KENSKI, 1997, p.145).

Ao descrever os fenômenos mnemônicos por meio da linguagem, o narrador conta uma história. Uma história permeada por recuperações e reconstruções do passado que conferem à sua memória um caráter ficcional (BOSI, 1994). Dessa forma, o título do presente capítulo não foi uma escolha aleatória. Reproduzi o nome que fora dado, inicialmente, ao livro *Infância*, de Graciliano Ramos, pois, em suas primeiras edições, o livro recebeu o aposto de obra memorialística, mas logo ele foi excluído para abrigar a ambigüidade que permite sua leitura como texto de ficção e de memória.

E nesta ambigüidade de gêneros literários em que me proponho a analisar a formação da subjetividade na infância, a partir dos discursos memorialísticos do narrador, senti a necessidade de compreender o desenvolvimento do processo mnemônico e sua implicação na constituição do sujeito, pois cada episódio rememorado reconfigura a complexa trama da subjetividade humana. A rememoração nos permite retornar ao passado com os elementos subjetivos do presente e, neste retorno, é possível reconstruir nossos valores, desejos, medos e quaisquer outras especificidades que nos tornam sujeitos únicos e inacabáveis.

Como a memória tem sido investigada por várias áreas do conhecimento e em diferentes perspectivas metodológicas que contemplam sua materialidade anátomo-fisiológica e simbólica (BRAGA, 1997, SMOLKA, 1997b e MIDDLETON ; EDWARDS, 1990), privilegio uma abordagem que a trate como fenômeno social dentro da psicologia sócio-histórica.

Desta forma, após resgatar algumas contribuições de autores como Halbwachs (1990) e Bosi (1994), que se dedicaram ao estudo da memória como um fenômeno social, procuro compreender o desenvolvimento desse processo psicológico nas obras de Vygotsky (1995, 1998a, 1998b) e Bakhtin (1997b). Os dois últimos autores já nos tinham deixado o legado teórico de compreender a construção e o funcionamento da vida mental a partir dos signos, e, por conseguinte, nos instrumentalizam a compreender que o estudo da memória e dos processos psicológicos superiores não podem ser separados da linguagem e da significação.

3.1 - A memória como um fenômeno social

Falamos nossas lembranças antes de evocá-las; é a linguagem e é todo o sistema de convenções sociais com ela solidário, que nos permite, a cada instante, reconstruir o nosso passado.

Maurice Halbwachs

Compreender o processo pelo qual os sujeitos se constituem como membros de uma determinada comunidade ou grupo social, através das memórias coletivas, foi o fio condutor da obra de autores como Halbwachs (1990) e Bosi (1994). Ambos os autores, numa estreita proximidade teórica, enfatizaram o caráter social da memória e sua importância para a constituição dos sujeitos. Segundo eles, dependemos da memória não apenas para nos constituir como indivíduos, mas como seres sociais, inseridos numa cultura e na própria história.

Halbwachs (1990) fala sobre os quadros sociais de memória, nos quais a singularidade do pensamento individual emerge dos entrecruzamentos do pensamento coletivo. Portanto, o ato de rememorar não é independente, mas está enraizado no movimento interpessoal das instituições sociais como a família, a classe social, a escola, a profissão, entre outros que fazem parte do contexto sócio-cultural em que o sujeito está inserido. Nas palavras de Braga (2000) *"lembramos e esquecemos como membros de grupos e conforme os lugares que neles ocupamos ou deixamos de ocupar"* (p. 86).

Orientada por Maurice Halbwachs, Ecléa Bosi (1994) realizou um belíssimo trabalho sobre a reconstrução histórica da época da industrialização da cidade de São Paulo, através das memórias de pessoas idosas: testemunhas vivas das transformações sociais, políticas, econômicas e culturais que raramente aparecem nos registros históricos oficiais. Assim, a autora delineia uma psicologia social em que as narrativas dos idosos, e nelas, as reconstruções do passado que lhes são inerentes, ganham um status de grande importância na configuração da história social.

Segundo a perspectiva dos autores mencionados, cada *"memória individual é um ponto de vista da memória coletiva"* (KENSKI, 1994, p.

147). Desta forma, é possível observar uma consonância entre os pressupostos teóricos da memória como um fenômeno social e a perspectiva que Graciliano Ramos adotou ao escrever o livro Infância. O escritor não contradiz a teoria exposta. Mas ao contrário, seu livro nos faz observar que, no ato de rememorar a infância, o narrador evocou uma heterogeneidade de vozes que constituíram suas lembranças e fizeram com que mergulhasse as raízes de sua existência nas histórias vividas por aquelas pessoas.

As memórias individuais narradas no livro *Infância* foram constituídas a partir de processos sociais, um fenômeno abordado de forma pormenorizada pela psicologia sócio-histórica.

3.2 - Memória na perspectiva sócio-histórica

A verdadeira essência da memória humana está no fato de os seres humanos serem capazes de lembrar ativamente com a ajuda do signo.

Lev Vygotsky

Diante da compreensão da memória individual como sendo um fenômeno social, tenho instigantes questionamentos sobre o desenvolvimento desse processo na infância e suas implicações para a constituição do sujeito. Algumas perguntas orientam minhas reflexões. Entre elas, destaco: Se lembrar é um processo social, como ele se torna singular, próprio em cada sujeito?

Para abordar como a memória é desenvolvida na infância, busco sua compreensão no referencial teórico sócio-histórico, pois Mikhail Bakhtin e Lev Vygotsky inauguraram uma compreensão ímpar e complementar sobre o fascinante fenômeno mnemônico.

Diferentemente das concepções individualistas do psiquismo que dominavam a filosofia e a psicologia ocidentais de sua época, os autores mencionados não compreendiam a memória como um processo localizado nas estruturas cerebrais, mas sim como um fenômeno constituído socialmente, através da mediação semiótica. Portanto, a memória é um fenômeno que estaria estreitamente relacionado ao processo de significação da língua.

As pesquisas de Vygotsky e seus colaboradores (1998a) apontaram para duas linhas de desenvolvimento do processo mnemônico: uma natural e a outra, mediada.

A primeira linha é comumente encontrada nos povos iletrados e se caracteriza pela proximidade da percepção, pois surge como conseqüência da influência direta dos estímulos sobre os homens. Esse tipo de memória é também encontrado na fase inicial da infância, quando as crianças a têm como uma função psicológica central, pois é a partir dela que todas as demais funções mentais superiores serão construídas. Nesta fase da vida da criança, o ato de pensar é determinado por sua capacidade de lembrar, de apoiar-se em sua experiência precedente.

No entanto, ao longo do desenvolvimento na infância, as relações interfuncionais que envolvem a memória vão se transformar na medida em que a linguagem introduz modificações substantivas no processo de memorização.

No momento em que a memória passa a ser mediada pelos signos lingüísticos, a rememoração é obtida com a ajuda de uma série de operações psíquicas que podem não ter uma relação direta com o processo mnemônico. Ele é moldado por uma lógica na qual memorizar se *"reduz a estabelecer e encontrar relações lógicas e rememorar consiste em buscar um ponto que deve ser encontrado"* (VYGOTSKY, 1998b, p. 46).

Em outras palavras, diferentemente da criança, o ato de lembrar para o adolescente significa pensar, reconstruir a experiência passada.

Desta forma, é possível afirmar que o processo de desenvolvimento da memória não é linear. Ele compreende evoluções e involuções que se traduzem na transformação das relações interfuncionais que acontecem no ato de rememorar. Esses processos podem ser percebidos na criança pequena, quando a memória orgânica é extraordinariamente grande e vai se deteriorando. No entanto, essa degradação é acompanhada por uma capacidade infinitamente maior de memorizar com a ajuda de signos externos, como por exemplo, a escrita.

Quando memorizamos uma anotação *"reducimos, ponemos em ordem, segregamos el material, es decir, modificamos en profundidad aquella que devemos memorizar"* (VYGOTSKY, 1995, p 260). Neste sentido, é possível compreender que a memória verbal apresenta um papel essencial no processo mnemônico mediado, pois *"o uso de signos verbais auxilia a memória e o homem é capaz de controlar as condições de sua futura lembrança"* (FREITAS, 1998, p.29).

Bakhtin (1997b), por sua vez, complementa as contribuições de Vygotsky ao acentuar que o processo de rememoração implica uma leitura do passado. A imagem mental do passado é traduzida por palavras que têm seu significado construído nas práticas sociais de comunicação. Segundo ele, recordar é *"una lectura que requiere habilidades lingüísticas derivadas de las tradiciones de explicación y narración de la cultura, y que se basea en una narrativa que deve su significado en ultimo término a las prácticas interpretativas de la comunidad de hablantes"* (BAKHURST, 1990, p. 237).

Bakhurst (1990), um estudioso que vem promovendo o diálogo entre as teorias de Vygotsky e Bakhtin na contemporaneidade, afirma que *"recordamos construyendo narraciones de hechos passados para su conclusión inteligible"* (p.229). Portanto, a partir de sua contribuição compreendo que a rememoração sempre será um acontecimento único, relacionado aos elementos de significação que o sujeito apresenta no ato de narrar o episódio lembrado. A rememoração é uma narrativa singular de uma história vivida coletivamente.

Após essas exposições teóricas, respondo à indagação inicial que orientou minhas reflexões no referencial sócio-histórico: Tal como os demais processos psicológicos superiores, o fenômeno da memória é construído socialmente: na interação dialógica com o outro, através das práticas discursivas. Essa constituição acontece na internalização dos discursos coletivos, na transformação destes, através de uma síntese realizada pelo sujeito. Uma produção em que o sujeito trabalha com sua subjetividade, conferindo um caráter singular à memória construída.

Diante de um mesmo fato passado, as pessoas terão diferentes memórias, pois o que orienta a rememoração não é a reprodução daquele episódio, mas a leitura do passado que é intransferível, própria de cada sujeito, pois está intimamente relacionada com as suas condições subjetivas.

Assim é o livro de Graciliano Ramos: uma leitura específica do passado. Leitura que tem o poder de me fazer lembrar da própria infância e, a partir dela e das narrativas literárias, perceber as múltiplas transformações nos modos de ser, pensar e se relacionar que existem entre as crianças. Em outras palavras, o livro é um encontro com diferentes modos de subjetivação, pois em sua leitura se apresentam tensionados os elementos de uma infância agreste e da infância na contemporaneidade.

Para finalizar, posso afirmar que o livro de Graciliano Ramos é uma história sobre a infância nordestina do início do século XX que me instrumentaliza a refletir sobre a infância contemporânea, pois as narrativas literárias me levam a mergulhar na realidade humana e a encontrar várias das faces da infância, talvez, as mais humanas. Faces que só poderiam ser privilegiadas pelos estudos psicológicos que contemplam as dimensões histórica, cultural, estética e ética do estudo do sujeito. Faces que serão exploradas no próximo capítulo.

Capítulo 4

No discurso do narrador a constituição da subjetividade

Datam desse tempo as minhas mais antigas recordações do ambiente onde me desenvolvi como um pequeno animal.
Graciliano Ramos

Após esse percurso epistemólogico de intertextualidade entre a psicologia e a literatura, é chegado o momento de materializar as interpretações sobre o processo de formação da subjetividade na infância através dos discursos do narrador. Uma interpretação que acontece na tensão de fatores objetivos e subjetivos, pois a presente abordagem é o resultado da leitura de uma obra literária e da produção de sentidos que emergiram neste encontro dialógico e polissêmico.

A leitura das memórias narradas esteve diretamente relacionada às minhas memórias de infância, como também às pessoas e aos instrumentos culturais que foram importantes no meu acabamento, na minha constituição como sujeito. Ao definir categorias de interpretação, rememorei os aspectos mais marcantes de minha infância e me reencontrei com protagonistas que apresentaram uma participação decisiva em minha formação: meus pais, alguns amigos e os livros.

Portanto, o presente trabalho configura uma nova forma de produzir conhecimento nas ciências humanas. Nas alegorias da literatura, busco a compreensão do processo de formação da subjetividade na infância, pois a literatura e as licenças poéticas que a constituem têm o poder de me aproximar das mais íntimas características psicológicas manifestadas na infância: suas mazelas e riquezas, seus medos e sonhos, suas palavras e sentimentos que estão extremamente bem retratados nos episódios do livro *Infância*.

Dessa forma, sensibilidade e fundamento teórico encontram-se juntos no objetivo de compreender os modos de subjetivação presentes nas narrativas do livro. Um livro que me proporciona o encontro com uma infância nordestina do início do século. Infância agreste e curiosamente rica, múltipla e heterogênea, pois os elementos culturais que compunham o cenário dos episódios vividos pelo narrador apresentam uma expressiva riqueza que é materializada nas crenças, costumes, conhecimentos, brincadeiras, valores e nos sensos estéticos, morais e religiosos.

Uma infância vivida como filho primogênito de uma família de 16 irmãos. Infância cujas narrativas descrevem as relações entre os membros da família de forma atomizada, solitária. Pois nem todos os irmãos são denominados, são apenas caracterizados quanto à ordem de nascimento: a irmã mais velha, os irmãos mais novos, *"manchas paradas"* (RAMOS, 1980, p. 11) ou *"insignificância, nos braços de Sinha Leopoldina."* (Id. Ibidem, p. 15).

O narrador nos fala que às vezes sua mãe *"perdia as arestas e a dureza, animava-se, quase se embelezava. Catorze ou quinze anos mais moço que ela, habituei-me, nessas tréguas curtas e valiosas, a julgá-la criança, uma companheira de gênio variável, que era necessário tratar cautelosamente"* (Id. Ibidem, p. 77). Com essas descrições do temperamento materno, o narrador buscava compreender a razão da antipatia que a mãe nutria por ele e nesse esforço de compreensão, traçava estratégias para se aproximar. Estratégias vãs, pois, segundo o narrador: *"Quando cresci e tentei agradá-la, recebeu-me suspeitosa e hostil; se me acontecia concordar com ela, mudava de opinião e largava muxoxos desesperadores"* (Id. Ibidem, p. 41).

Sentimentos ambíguos de amor e rejeição permearam a relação do narrador com seus pais. Sentimentos próprios da polifonia que constitui os seres humanos. Sentimentos inerentes à permanente luta ideológica que é travada na polissemia dos signos lingüísticos. Sentimentos múltiplos que desnaturalizam papéis sociais previamente estabelecidos e cedem espaço às surpreendentes faces dos seres humanos. Faces inusitadas, incontroláveis, pois o livro relata sentimentos familiares construídos na relação entre seus membros. Sentimentos familiares que não obedecem às leis maniqueístas de amor ou rejeição. São polifônicos, múltiplos, surpreendentes, inconstantes, orientadores e desorientadores.

Seus pais eram sujeitos que amavam e também rejeitavam. Comportamentos descritos nas seguintes narrativas: *"Ora sucedia que minha mãe abandonava de repente e meu pai, silencioso, explosivo, resolvia contar-me histórias. Admirava-me, aceitava a lei nova, ingênuo, admitia que a natureza houvesse modificado. Fechava-se o doce parêntese - e isso me desorientava"* (Id. Ibdem, p. 21).

Uma infância vivida em meio à fazenda do avô materno Pedro Ferro: um sertanejo de mãos duras que não manifestava dúvida no trato de seus animais. Em sua fazenda, o narrador conheceu a seca e as inúmeras formas de resistência que eram travadas para o seu combate, como os açudes e as plantas. O narrador nunca tinha visto tanta imensidão de água como no açude! Os patos nadavam, as crianças brincavam e ele observava, maravilhado, aquela obra humana.

Através desse avô conheceu também as idiossincrasias do contexto de fim da escravidão brasileira. Contexto que obrigava o Moleque José a chamá-lo de senhor. Uma condição humana que não permitia ao narrador ter misericórdia da negra forra que morreu queimada, quando tentou salvar a litografia de Nossa Senhora de um terrível incêndio que chamuscou uma cabana de ouricuri. Para ele, não parecia que o purgatório fosse indispensável para a negra, pois *"incompleta e imunda não estava no céu. Que ia fazer lá? Estragaria as delícias eternas, mancharia as asas dos anjos"* (Id. Ibidem, 1980, p. 95).

Uma infância vivida em meio à produção artística do avô paterno que ao cantar e confeccionar as urupemas (fortes, seguras e desprovidas de adornos excessivos), contribuiu com elementos primordiais para a construção do gosto estético do narrador. O avô produzia um artesanato diferente e, mesmo não tendo o valor de sua obra reconhecido pela comunidade, não se igualava aos demais artesãos pelo prazer de vivenciar sua singularidade.

No livro, o avô paterno - Tertuliano Ramos - é chamado poucas vezes pelo nome ou sobrenome, pois sua identidade era contemplada na característica de artista. A arte era o ponto de contato entre o avô e o narrador, o que ficava explícito nas palavras do segundo, quando se referia ao primeiro: *"legou-me talvez a vocação absurda para as coisas inúteis"* (Id. Ibidem, p. 21). Coisas inúteis dentro de um contexto de comércio, onde o preço e a mercadoria eram as principais moedas de negociação. A arte, a sensibilidade e o processo criativo, não faziam parte desse contexto. Eram coisas inúteis. Não quantificáveis.

Uma infância vivida junto aos caixeiros viajantes que se hospedavam em sua casa. Na venda dos tecidos de baixa qualidade encontrados na loja da família; no contato rico e envolvente com as histórias narradas pelos vaqueiros que freqüentavam o alpendre do pai; no medo dos ciganos que tinham uma conduta moral bastante duvidosa e não apresentavam um paradeiro fixo; no desprezo pelo vigário amancebado com uma rapariga por maltratarem o menino que foi acolhido em sua casa por caridade.

Uma infância vivida em meio aos livros da biblioteca de Jerônimo Barreto. Diversidade de títulos, línguas e histórias que faziam o narrador viajar pelos tempos da Revolução Francesa e encontrar nos seus protagonistas a companhia ideal para passar os dias agrestes. Segundo ele, *"Minha mãe, Jovino Xavier e os caixeiros evaporaram-se. A única pessoa real e próxima era Jerônimo Barreto, que me fornecia a provisão de sonhos, me falava na poeira de Ajácio, no trono de S. Luís, em Robespierre, em Marat"* (Id. Ibidem, p. 226).

Uma infância marcada pela passagem nas escolas do início da República brasileira. Professores sem formação que não recebiam dinheiro do governo, somados a uma estrutura de ensino fragmentada e ineficiente que não permitia ao narrador encontrar sentido nas atividades propostas, nem nos conteúdos transmitidos. Como mal sabiam ler, os professores não conseguiam despertar o interesse do narrador pela leitura. O conhecimento docente era mascarado pelo peso da autoridade: o professor era aquele que sabia a matéria e os alunos, aqueles que deveriam aprendê-la, silenciosamente, docilmente, num jogo de conveniências em que os primeiros fingiam ensinar e os últimos se esforçavam para aprender.

Alguns episódios deflagram, contundentemente, a (de)formação que a escola proporcionava às crianças. Entre eles, destaco a descrição que o narrador faz do lugar de estudo: *"Os alunos se imobilizavam nos bancos: cinco horas de suplício, uma crucificação. Certo dia vi moscas na cara de um roendo o canto do olho, entrando no canto do olho. E o olho sem se mexer, como se o menino estivesse morto. Não há prisão pior do que uma escola primária no interior"* (Id. Ibidem, p. 200).

Uma escola sem qualquer relação com o ambiente sócio-cultural nordestino. Escola que não potencializava a riqueza das experiências cotidianas como elementos de construção do conhecimento para as crianças. Era uma escola pautada em moldes pedagógicos importados, pois insistia em ler *O Barão de Macaúbas*, uma história sobre pássaros que falavam numa língua não acessível ao narrador. Uma história composta por grossos volumes que fizeram parte de sua infância, mas nunca foram compreendidos.

Uma infância da solidão, pois, mesmo diante de uma heterogeneidade de protagonistas adultos e crianças, o narrador não hesita em falar do mundo das aranhas, um mundo que tinha a dimensão de sua auto-estima.

E como não poderia deixar de ser, uma infância vivida em meio ao forte sistema coronelista e oligárquico, no qual os chefes políticos tinham mais prestígio e reconhecimento que os delegados de polícia, pois dispunham das pessoas e manipulavam as autoridades.

Nas palavras do narrador, é possível encontrar um exemplo de como procediam as relações com a justiça e a economia em sua época: *"No meu município também se assassinavam homens, embora preferissem os cabras ruins. Quando um proprietário governista queria molestar um adversário, mandava suprimir-lhe alguns moradores - e a pessoa ameaçada vendia-lhe a terra por menor valor"* (Id. Ibidem, p. 216). Essas foram as relações de poder que o narrador vivenciou. Atônito. Impotente. Relações que se assemelhavam a criação de cabras sob a proteção, controle e submissão de um criador.

Para concluir a análise que o narrador realiza sobre seu ambiente sócio-político, destaca que *"na cidade havia numerosas prostitutas, até crianças de doze anos, imposto arrancado aos que não possuíam fazenda"* (Id. Ibidem, p. 218). Ao analisar esse contexto, o narrador emite uma crítica social sobre determinada comunidade assolada pelo autoritarismo e pelas arbitrariedades do coronelismo. Uma comunidade em que os direitos não eram condição de cidadania, eram privilégios concedidos pelos coronéis, eram resultantes de sua complacência.

O mesmo acontece em escala micropolítica, pois o narrador faz várias críticas à organização da família patriarcal nordestina. No livro *Infância*, família e comunidade são como diferentes lados de uma mesma moeda, pois ambas as instâncias sociais estavam assentadas sobre os mesmos pilares de dominação: as mesmas ideologias, o mesmo material simbólico.

Na família, as relações sociais conservavam uma rigidez tão expressiva que nem sempre permitiam às crianças o direito à contra-palavra e ao questionamento. Enfim, uma infância em que figurava, irrestritamente, a autoridade paterna. Em meio à violência física e simbólica vivida no ambiente familiar, o narrador confessa: *"Eu me comportava direito: encolhido e morno, deslizava como sombra. As minhas brincadeiras eram silenciosas. E nem me afoitava a incomodar as pessoas grandes com perguntas* (Id. Ibidem, p. 113).

Uma infância em que as perguntas ficavam sem respostas, pois não era dado o direito de perguntar às crianças. Situação que ficou bastante expressiva no episódio que descreve a reação do pai quando foi indagado pelo narrador sobre o que seria um papa-lagartas. Quando interrogado, o pai esfriava a curiosidade do narrador repetindo frases sujas sobre os perguntadores. Segundo as palavras do narrador: *"A frase me espantava sempre. Não queria convencer-me de que ouvia nomes tão feios, e quando me inteirava bem do sentido deles, afastava-me triste e humilhado, achando meu pai grosseiro e jurando emendar-me"* (Id. Ibdem, p. 44).

Por fim, uma infância que é encerrada no contato inesquecível com o primeiro amor.

Aos onze anos de idade, o narrador experimentou o grande desarranjo da puberdade. Em meio às transformações físicas e psicológicas, conheceu Laura e passou a destinar seus dias e suas noites a uma espécie de admiração por ela. Culto. No entanto, diante da tormenta em que se transformou sua vida em função do seu desejo pela moça, foi confortar-se nos braços profissionais de Otília da Conceição. Silencioso. Num imenso desgosto que o fez adoecer. De acordo com suas palavras: *"Adoeci. A artrite amarrou-me à espreguiçadeira, o meu desgraçado corpo se cobriu de manchas"* (Id. Ibdem, p. 259).

Neste encontro com o outro e os instrumentos culturais com os quais o narrador interagiu durante sua infância, vejo delinear-se uma trama constitutiva: sua subjetividade. Pois só o outro pode completar o sujeito, atualizando-o e proporcionando-lhe o acabamento psicológico. Tudo o que diz respeito ao sujeito, a começar pelo seu próprio nome, vem do mundo exterior, vem da boca dos outros. Tal como o corpo do sujeito se forma nas entranhas maternas, sua consciência desperta no encontro com o outro, pois é dele que o sujeito recebe as palavras, a forma e o tom que formarão a representação que tem de si mesmo. O homem apresenta uma necessidade estética absoluta do outro, pois *"nossa individualidade não teria existência se o outro não a criasse"* (BAKHTIN, 1997b, p. 288).

E diante da multiplicidade de influências, vozes/consciências que deram acabamento à subjetividade do narrador, elegi as relações de intersubjetividade como elementos de análise para a compreensão deste processo psicológico.

Compreendo como momentos de intersubjetividade a relação dialógica, polifônica e polissêmica que existe no momento de interação social. Ela acontece nas práticas discursivas: nas palavras e contra-palavras que constituem a permanente cadeia dialógica realizada em nossa existência e nas produções de sentidos que emergem, infinitamente, desses momentos (SMOLKA et al., 1998).

Neste complexo sistema de significados e sentidos construídos socialmente, assistimos a constante re-significação do sujeito, pois o processo de sua constituição é intermitente. É mediado, datado, histórico, construído no encontro das consciências. Portanto, compreendo que a subjetividade ganha uma configuração caleidoscópica, na medida em que não pára de assumir diversos contornos, cores, sentidos e formas. Um movimento humano que nos permite *"viver a existência de forma única, no entrecruzamento de diversos vetores de subjetivação"* (MIRANDA, 2000, p. 38).

Construída socialmente, a formação da subjetividade não acontece sob a forma de um determinismo linear. Ela se constitui no contato com outros sujeitos, ao internalizar as significações construídas nesse encontro, ao provocar um confronto entre os sentidos em questão. Dessa forma, é possível afirmar que nesse processo de internalização, a subjetividade se constrói e reconstrói, pois cada indivíduo imprimirá sua singularidade no processo psicológico construído. Cada indivíduo encontrará novos elementos de significação e sentido para o conteúdo internalizado.

Assim, a subjetividade se configura como um processo com textura fluida e em permanente movimento, pois as interações sociais sempre provocarão transformações nos homens. As interações sociais possibilitam a criação de uma cadeia de significados na qual os sentidos se transformam infinitamente, criando elos que se renovam e renascem intermitentemente.

Além disso, a subjetividade individual é um movimento dialético e contínuo de construção subjetiva e reconstrução cultural da sociedade, pois o processo de constituição do sujeito transforma os elementos culturais que alicerçam a subjetividade individual (REY, 1998). Nas palavras de Bakhtin (1997b), a cultura é uma *"unidade aberta, em evolução, não determinada, nem predeterminada, capaz de se perder ou se renovar, transcendendo a si mesma"* (p. 374). O sujeito se constitui e é constituído numa complexa trama cultural, em intermitente movimento e processo de re-significação.

Assim é a infância analisada: um processo de construção subjetiva e reconstrução cultural através da atuação de uma criança nordestina. Uma infância que será compreendida a partir dos ditos e não-ditos que permeavam o ambiente sócio-cultural no qual viveu o narrador. Em suas palavras, um ambiente no qual se desenvolveu como um pequeno animal: descalço e sem condições de usar os imprescindíveis borzeguins para ir à escola; com sede, desesperado para conseguir uma gota de água e acabar com o incêndio que devastava sua garganta; acuado, escondido atrás dos caixotes verdes, tentando escapar dos incompreensíveis castigos do pai e da indiferença da mãe.

Enfim, uma infância incomparavelmente diferente da infância contemporânea, pois não era templo de consumo e de massificação dos valores. Mas, ao contrário, era a vivência dos acontecimentos cotidianos com uma intensidade que os fazia únicos, formadores e inesquecíveis. Assim, foi a infância do narrador. Uma infância que será retratada no presente capítulo através da interpretação dos discursos memorialísticos divididos em três categorias: a relação do narrador com os outros, a relação do narrador com os livros e, finalmente, o auto-retrato do narrador.

4.1 - O narrador e os outros

É pelo outro que o eu se constitui em um ser social com sua subjetividade.

Solange Jobim e Souza

Baseado no materialismo histórico e dialético, Lev Vygotsky (1998a) compreendeu que o estudo do sujeito deveria acontecer em permanente movimento, pois todo fenômeno psicológico tem sua história e ela se caracteriza por mudanças qualitativas e quantitativas. Assim, é possível concluir que um sujeito que viveu há tempos passados não apresentará as mesmas características psicológicas dos sujeitos contemporâneos. O mundo se encontra em permanente mudança e essas transformações sócio-culturais são inerentes ao processo de construção das funções psicológicas superiores, da formação da subjetividade.

Para alcançar a dimensão histórica dos fenômenos psicológicos, Vygotsky e seus colaboradores de investigação defenderam que o pesquisador deveria reconstruir a origem e o curso do desenvolvimento dos comportamentos humanos. Além disso, o fenômeno psicológico investigado deveria ser compreendido dentro de sua realidade concreta, a partir dos elementos materiais e simbólicos com os quais o sujeito interagisse no seu meio sócio-cultural.

Por conseguinte, Vygotsky afirmou que o fato central da psicologia materialista seria a mediação semiótica da vida mental, pois as relações do homem com o mundo seriam mediadas por outros homens ou por instrumentos culturais específicos de sua época (WERTSCH,

1985). Assim, o autor diferenciou duas formas de funcionamento mental humano: o elementar e o superior (VYGOTSKY, 1998a).

O primeiro processo estaria relacionado às atividades humanas circunscritas ao próprio material genético da espécie e à sua maturação biológica. Seriam processos inatos como os reflexos, reações automáticas e associações simples. Processos que não contribuiriam para qualquer diferenciação entre os sujeitos através dos tempos e da cultura, pois não sofreriam influência do meio sócio-cultural.

Já os processos psicológicos superiores estariam diretamente relacionados com a atuação mediada do homem no mundo. Os signos ideológicos e os instrumentos culturais específicos de cada época modificam qualitativamente o funcionamento de funções mentais como a memória, a inteligência, a imaginação e a percepção.

Dessa forma, inspirada nas contribuições conceituais e metodológicas de Vygotsky, procuro compreender o processo de constituição da subjetividade na infância refazendo o seu desenvolvimento na ontogênese humana. Para isso, procuro abordar os aspectos genético-maturacionais e sócio-históricos como elementos inerentes ao desenvolvimento das funções psicológicas. Lev Vygotsky (1998a) já acentuava a importância de pensar o desenvolvimento das funções mentais superiores, na interseção dos fatores naturais e sócio-culturais; no resultado alcançado com a interação dialética de ambos.

A constituição da subjetividade na infância é um processo lento e contínuo de construção do eu e de diferenciação dos outros. Assim, acredito que para compreender como a criança vai construindo o acabamento de si mesma, suas características e funções psicológicas que lhe dão a dimensão da alteridade, é necessário remontar à sua formação ontogenética desde os primeiros dias de vida.

E ao fazê-lo, evidencio que os nove meses de gestação intra-uterina não são suficientes para a formação de todos os comportamentos humanos. Ao nascer, o bebê apresenta estruturas orgânicas imaturas, inacabadas e bastante permeáveis à ação do meio ambiente para a sua definitiva formação. O desenvolvimento ontogenético do bebê humano é caracterizado por sua condição biologicamente social, na medida em que sua estrutura orgânica será apenas um fator secundário no desenvolvimento das formas mais complexas do seu comportamento: as funções psicológicas superiores (VYGOTSKY, 1998a).

Em meio a sua total fragilidade e necessidade da ajuda de outrem para lhe assegurar a sobrevivência, o bebê apresenta como peculiaridade a não existência de uma natureza humana. Diferentemente dos animais, o filhote humano não apresenta um instinto que caracteriza sua espécie, pois não nasce com todos os comportamentos determinados geneticamente. Ele nasce apenas com um conjunto de comportamentos que servem para a satisfação das necessidades fisiológicas mais imediatas do organismo, como a alimentação, a proteção e o descanso.

A função biológica desse conjunto de comportamentos é a autopresevação e a reprodução da espécie humana, pois eles representam *"modos úteis de adaptação ao meio ambiente; desenvolveram-se no curso da luta pela sobrevivência e se fortaleceram pela escolha natural do processo de evolução biológica"* (VYGOTSKY, LURIA, 1996, p. 56).

Logo após o nascimento, o bebê permanece num estado de total simbiose com as pessoas que dele cuidam. Ele depende destas pessoas para se alimentar, ser higienizado, se proteger, se vestir, ser acalentado nos momentos de dor e, principalmente, para se inserir na cultura do seu povo.

Nos primeiros dias de vida do bebê, não há delimitação entre seu corpo e o da mãe; entre seu corpo e o meio social, pois suas fronteiras físicas e psicológicas estão indefinidas. O seio materno é como uma extensão de seu desejo de ser amamentado. Os braços que o envolvem, acariciam e protegem são como a continuação da bolsa placentária que o manteve, confortavelmente, durante os nove meses de gestação.

Nesta fase do desenvolvimento do bebê, é possível verificar que seus membros inferiores e superiores vão apresentar movimentos descontínuos e descoordenados que terão como único objetivo liquidar as tensões internas e externas existentes em seu corpo (WALLON, 1995). Sua atenção estará voltada apenas para as reações viscerais que apresenta e a satisfação de necessidades fisiológicas como alimentação, sono, proteção e afeto (VASCONCELLOS, 1995).

Essa fase do desenvolvimento do bebê é chamada, segundo os

conhecimentos populares, de "come e dorme", pois ele está imerso no mais profundo estado de indiferenciação com o meio ambiente. Sua consciência representa um estado nebuloso, confuso, no qual o emocional e o sensitivo encontram-se fundidos. Vygotsky afirma: *"Creemos que en el primer mês de vida no existe para el bebe nada ni nadie, que todos los estímulos y su entero son para él un estado subjetivo únicamente"* (VYGOTSKY, 1995, p. 282).

Neste ínterim, o bebê mantém uma estreita relação com as pessoas que cuidam dele por mobilizar seus afetos, sua atenção e sua sensibilidade. Nas palavras de Dantas, *"é pela expressividade que o indivíduo humano atua sobre o outro, e é isto que lhe permite sobreviver, durante seu prolongado período de dependência* (1992b, p. 38). O bebê precisa do adulto para sobreviver, mas em contrapartida, mobiliza a afeição desse adulto para o contato próximo com ele. Uma reação que nos explica porque a mãe[10] será capaz de ouvir o mais baixo dos ruídos emitidos pelo bebê, pois ela também se percebe como sendo uma continuação do corpo do filho. A mãe interpretará seus desejos e suas necessidades, construindo uma relação dialógica já nos primeiros meses de vida do bebê.

Progressivamente, esses gestos descoordenados e descontínuos do bebê provocarão intervenções no meio, na medida em que será criado um código de comunicação corporal, cujos significados e sentidos serão construídos na interação dialógica entre o bebê e um parceiro privilegiado. Assim, o choro que deseja colo terá uma entonação própria e passível de compreensão na díade parceiro-bebê. O mesmo acontece quando o bebê levanta os braços, ergue a cabeça, balbucia alguns vocábulos ou apresenta qualquer outra conduta de comportamento que será interpretada pelos parceiros que convivem com ele.

---

10 - Nos dias atuais é comum a decisão das famílias de dividirem a educação e o cuidado dos filhos menores de seis anos com instituições para educação infantil. Entretanto, é possível observar que nem mesmo essa separação temporária da díade mãe-bebê é capaz de alterar a qualidade do vínculo afetivo estabelecido entre eles. O bebê que freqüenta a creche estabelecerá relações afetivas de confiança, carinho e respeito com as pessoas que dele cuidam. A educadora não substitui a mãe, mas também é um parceiro privilegiado nesta construção dialógica dos significados e sentidos das palavras pelo bebê.

Seus gestos começarão a ganhar significação nesta espécie de diálogo corporal (WALLON, 1995) e muito rapidamente serão estabelecidas conexões entre suas manifestações corporais espontâneas e as reações úteis que elas provocarão em seu meio de convivência. Os parceiros mais próximos de interação interpretarão as manifestações vocálicas, guturais e corporais do bebê como uma expressão de linguagem. Assim, o bebê passará a usar, intencionalmente uma espécie de diálogo corporal que será a primeira forma de comunicação direcionada a alguém (VASCONCELLOS, 1996).

É indubitável que a palavra é um instrumento primordial de socialização do bebê, pois, desde o princípio de sua vida, o recém-nascido forma gradualmente a compreensão das palavras da mãe e das pessoas que dele cuidam. Entretanto, inicialmente, o traço específico da sociabilidade do bebê está na comunicação social privada das palavras humanas, por ser uma comunicação afetiva, pré-lingüística e corporal. Nas palavras de Vygotsky (1995), *"Más que una comunicación basada en el entendimiento mutuo, se trata de manifestaciones emocionales, de transferencias de afetos, de reacciones positivas o negativas ante e cambio del momento principal de cualquier situación en que se encuentra el bebe"* (p. 304).

Nesta fase do desenvolvimento, as primeiras palavras da mãe têm uma importância decisiva na formação dos processos mentais do bebê, pois *"a palavra liga um complexo sistema de conexões do córtex cerebral da criança e se converte numa poderosíssima ferramenta que introduz formas de análise e síntese na percepção infantil que a criança seria incapaz de desenvolver por si mesma* (LURIA; YODOVICH, 1985, p. 12). Enfim, os signos serão os elementos formadores das funções psicológicas da criança.

Será através desta interação dialógica privilegiada com alguns membros de sua comunidade que o bebê terá o contato mediado com a realidade sócio-cultural. Através das palavras de um outro e do contato com os mais variados artefatos culturais e tecnológicos que existem ao seu redor, o bebê será apresentado ao mundo em que vive.

Neste momento, acontece o segundo nascimento do bebê. O nascimento para o mundo social e semiótico, quando ele mergulha na língua do seu povo e nas raízes culturais da comunidade na qual faz parte. Para Bakhtin (1997a), o nascimento social é tão importante quanto o nascimento biológico, pois *"um ser humano não nasce disfarçado de um organismo biológico abstrato, mas como proprietário ou camponês, um burguês ou um proletário .. Russo ou Francês .. em 1800 ou em 1900. Somente uma localização social ou histórica torna o homem real e determina o conteúdo da sua criação pessoal e cultural"* (BAKHTIN, 1976 apud SMOLKA, 1998, p. 150).

Dentro do contexto sócio-cultural, as influências extra-verbais apresentam uma grande importância nas primeiras etapas do desenvolvimento do sujeito (GERALDI, 2000), pois *"as 'palavras alheias' se reelaboram dialogicamente em 'palavras - próprias - alheias' com a ajuda de outras palavras alheias (escutadas anteriormente) e logo se tornam palavras próprias (com a perda das aspas, falando metaforicamente) que já possuem um caráter criativo"* (BAKHTIN, 1997 b, p.385).

Progressivamente, o bebê vai retirando as aspas das palavras alheias e construindo novos sentidos para a sua utilização, tornando-as suas palavras. Portanto, é possível compreender que o processo de constituição do sujeito acontece paralelamente à construção do significado da palavra pela criança (VASCONCELLOS, 1996). A linguagem se converte em organizador do seu pensamento e comportamento, na medida em que ela controla o ambiente com a ajuda da fala e, assim, estabelece uma nova relação cognitiva com o meio. Relação que vai formar sua subjetividade, pois sua atividade se orientará através dos signos que constituem o tecido da própria consciência.

Fundamentada nesses pressupostos teóricos, é possível afirmar que a subjetividade será construída diariamente nos modos de ser, pensar e se relacionar socialmente. Será resultante das práticas discursivas de uma comunidade, das palavras e contra-palavras que orientam nossa ação social. Será um processo semiótico, pois não se localiza em nenhuma estrutura específica dos tecidos nervosos e cerebrais, mas está na essência do enunciado verbal que é compartilhado nas relações de intersubjetividade.

A constituição do sujeito acontece no fluxo ininterrupto da linguagem, no qual as enunciações representam mais que um agrupamento de palavras. As palavras que formam nosso vocabulário são sentenças repletas de valor ideológico, que apresentam uma relação dialética com a infra-estrutura material da sociedade em que vivemos. Os signos refletem e refratam a realidade social. São criados de acordo com seu valor na sociedade de cada época, pois, apenas se estiverem relacionados às condições sócio-econômicas do grupo, entram no seu horizonte social e desencadeiam uma reação semiótico ideológica (BAKHTIN, 1997a).

Os processos que originam o conteúdo psíquico encontram-se no signo lingüístico, pois *"a atividade psíquica constitui a expressão semiótica do contato entre o organismo e o meio exterior"* (Id. Ibidem, p. 49). Assim, é possível concluir que *"a consciência adquire forma e existência nos signos criados por um grupo organizado no curso de suas relações sociais. Os signos são o alimento da consciência individual, a matéria de seu desenvolvimento e ela reflete suas lógicas e suas leis"* (Id. Ibidem, p. 35-36).

Dessa forma, torna-se claro que a subjetividade é construída, intermitentemente, através de processos mediados, dialógicos, polissêmicos e polifônicos. É formada por um conteúdo de conhecimento sobre o mundo e as relações humanas, um conteúdo semiótico e ideológico que é, simultaneamente, o reflexo ativo da realidade e o material que a constitui.

4.1.1. O narrador e seus pais

> *Meu pai e minha mãe conservaram-se grandes, temerosos e incógnitos. Revejo pedaços deles, rugas olhos raivosos, bocas irritadas e sem lábios, mãos grossas e calosas, finas e leves, transparentes. (...) Depois as mãos finas se afastaram das grossas, lentamente se delinearam dois seres que me impuseram a obediência e respeito. Habituei-me a essas mãos, cheguei a gostar delas. Nunca as finas me trataram bem, mas às vezes molhavam-se de lágrimas - e meus receios esmoreciam. As grossas, muito rudes, abrandavam em certos momentos.*
>
> Graciliano Ramos

Ao relembrar os episódios de sua infância, o narrador confere especial ênfase à relação que estabeleceu com seus pais. Tal como descreve na epígrafe acima, seus pais conservaram-se grandes, temerosos e incógnitos, pois o narrador sempre se surpreendia com as exaltadas ou suaves reações que eles poderiam apresentar em determinados momentos de sua infância. Capazes de castigar e molhar as mãos de lágrimas, seus pais encontram-se presentes como os principais protagonistas das narrativas do livro. Narrativas nas quais é possível perceber o quanto a relação do narrador com seus pais, membros de uma estrutura familiar patriarcal, apresenta momentos privilegiados de intersubjetividade, de aquisição de conhecimentos e de mergulho nas raízes culturais de sua época.

Ao descrever a qualidade das relações que estabeleceu com seus pais, o narrador utiliza a metáfora das mãos. Rememora quando as mãos finas e as mãos grossas o seguraram no colo, pois essa foi a primeira forma de comunicação entre o narrador e as pessoas que conviveram com ele: a comunicação corporal (WALLON, 1995). Através de mãos calosas e mãos transparentes, o narrador foi apresentado às idiossincrasias de seu ambiente sócio-cultural e, principalmente, conheceu as especificidades dos dois seres que o colocaram no mundo: seus pais.

Bakhtin (1997a) me fundamenta na compreensão sobre a influência dos pais na constituição subjetiva do narrador, pois considerou a formação do eu como sendo um processo construído, exclusivamente, pela interação social e através de situações de intersubjetividade. Para essa constituição, o eu necessita de relações dialógicas para se definir, diferenciar-se e tornar-se autor de si mesmo. O eu precisa do outro para dar acabamento ao seu corpo exterior, como, também, da palavra do outro para que suas palavras tenham significação.

A vida humana é caracterizada pela dialogicidade, pois viver seria participar de um permanente diálogo entre os membros que compõem nossa comunidade. *"Cuando proferimos um enunciado estamos realizando una acción mediada por signos que hacen possible nuestra vida en sociedad. La conciencia individual es esencialmente conciencia dialogica. En ela se hacen presentes otras conciencias, atraves de las voces de otros hablantes* (GARRIDO, 1993 apud WERTSCH, 1993, p.13).

Essas relações dialógicas são estabelecidas desde os primeiros dias de vida do homem, pois é na interação e no afeto dos que o rodeiam que o bebê dará consistência ao seu corpo interior. A criança começará a ouvir e reconhecer *"seu nome, seu corpo, suas emoções e seus estados internos"* (BAKHTIN, 1997b, p. 67) na interação com os que convivem com ela.

> As palavras que formarão sua consciência, ainda confusa e nebulosa no início da vida, serão as palavras de um ser que a ama e cuida, e nesse cuidado recebido, sua percepção vai se ligando ao mundo exterior. É o amor de mãe e dos próximos que desde a infância proporciona, de fora, a forma ao homem, proporciona, ao longo de sua vida, consistência ao seu corpo interior, sem lhe dar, é verdade, uma imagem intuitivo-evidente de sua exterioridade, mas o torna, todavia, detentor de um potencial desse corpo que não poderia ser atualizado senão pelo outro (Id. Ibidem, p. 68-69).

O afeto e as palavras da mãe e dos parceiros de interação mais próximos contribuem para a estruturação da consciência da criança, pois, neles, a criança encontrará *"o primeiro movimento, sua primeira postura no mundo".* O que pode ser observado, na metáfora usada por Bakhtin quando ele diz que *"sua forma parece trazer a marca do abraço materno"* (Id. Ibdem, p. 68), pois vendo-se através dos olhos da mãe e no seu tom de fala, a criança inicia a fala de si mesma e de suas sensações, usa palavras que ganham significação, a partir do encontro dialógico de duas pessoas. Um encontro que vai provocar a diferenciação de duas consciências, a formação de subjetividades.

Em sua obra, Bakhtin (1997b) aborda três categorias que constituem o sujeito: *o eu para mim, o outro para mim* e *o eu para o outro* e, dessa forma, me instrumentaliza a compreender que a relação do narrador com os pais é uma representação da categoria os *outros para mim,* pois foram esses outros que mediaram a construção de vários aspectos da sua subjetividade. Entre eles, destaco a construção da relação com a autoridade e com a religiosidade. Características que tiveram grande influência nas relações estabelecidas com o pai e com a mãe, respectivamente.

a) **A relação com a autoridade:**

> *Batiam-me porque podiam bater- me, e isto era natural.*
>
> Graciliano Ramos

Em meio a uma nebulosidade que envolvia suas memórias, o narrador fala sobre suas primeiras relações com a justiça. Segundo ele, essas relações *"foram dolorosas e deixaram-me funda impressão. Eu devia ter quatro ou cinco anos, por aí e figurei na qualidade de réu. Certamente já me haviam feito passar por esse papel, mas ninguém me dera a entender que se tratava de um julgamento* (RAMOS, 1980, p. 31).

Num capítulo do livro, o narrador nos conta o desaparecimento de um cinturão. Objeto de pertencimento do pai, o cinturão desaparece enquanto ele dormia na rede armada. Diz o narrador: *"não consigo reproduzir toda a cena. Juntando vagas lembranças dela a fatos que se deram depois, imagino os berros de meu pai, a zanga terrível, a minha tremura infeliz. Provavelmente fui sacudido"* (Id. Ibidem, p. 33).

O pai acordou enfurecido e procurou pelo objeto. Ao não encontrá-lo, culpabilizou o narrador como sendo o responsável pelo infortúnio do desaparecimento. O narrador manteve-se escondido, encolhido num canto pra lá dos caixões verdes, pois não era capaz de conversar ou se defender da acusação. Ao descobri-lo neste estado de encolhimento, o pai arrancou-o violentamente reclamando o cinturão, conforme a narrativa que segue: *"Onde estava o cinturão? Eu não sabia, mas era difícil explicar-me: atrapalhava-me, gaguejava, embrutecido, sem atinar com o motivo da raiva. Os modos brutais, coléricos, atavam-me; os sons duros morriam, desprovidos de significação"* (Id. Ibidem, p. 32).

Onde estava o cinturão? O pai não perguntava, mas ordenava que lhe entregasse imediatamente o objeto. Mas onde estava o cinturão? Como o narrador não teve resposta, foi punido, batido, humilhado e impossibilitado de se defender. Foi torturado. Teve suas costas fustigadas pelo couro do chicote e achava-se num deserto, pois nenhum dos seus companheiros apareceu por ali para livrá-lo daquele tormento. Nem José Baía nem o Moleque José apareceram. Segundo o narrador: *"Situações desse gênero constituíram as maiores torturas de minha infância e as conseqüências delas me acompanharam"* (Id. Ibidem, p. 33). Acompanharam porque se constituíram como elementos formadores de sua subjetividade, porque influenciaram toda a relação que o narrador manteve com a autoridade e a justiça.

Onde estava o cinturão? De acordo com o narrador: *"A pergunta ficou-me repisada na lembrança: parece que foi pregada a martelo"* (Id. Ibidem, p. 33). Os berros do pai ressoaram durante anos na sua formação. O que pode ser percebido nas seguintes narrativas: *"Hoje não posso ouvir uma pessoa falar alto. O coração bate-me forte, desanima como se fosse parar, a voz emperra, a vista escurece, uma cólera doida agita coisas adormecidas cá dentro. A horrível sensação de que me furam os tímpanos com pontas de ferro"* (Id. Ibidem, p. 33).

Uma única pergunta que relembrava todo um episódio dramático vivido na infância do narrador parece ter sido pregada em sua pessoa com um martelo, dada a força e a determinação que teve na formação do seu comportamento. Pregada como um martelo, deixou profundas marcas de dor, desalento e, principalmente, de descrença na justiça dos homens. Desde muito cedo, o narrador foi acostumado às arbitrariedades, à tortura e à violência: métodos culturalmente naturalizados no seio de uma família patriarcal e de uma sociedade assolada pelo coronelismo.

Entre as lembranças dos encontros com os outros, o narrador destacou os elementos de injustiça e arbitrariedade como bastante relevantes para a sua formação. E para compreender o processo pelo qual o narrador elegeu os episódios relacionados com a autoridade e seus respectivos protagonistas, me remeto ao conceito vygotskiano de internalização das relações interpessoais.

Ao compreender que a subjetividade é construída através da mediação semiótica, da intervenção de um outro sujeito ou de um instrumento cultural, Vygotsky nos oferece elementos conceituais para explicar como o narrador foi construindo sua relação com a autoridade e a justiça. Para Vygotsky:

> ... todas das funções mentais superiores são as relações sociais interiorizadas ... Sua organização, sua estrutura genética e seu meio de ação - numa palavra, sua natureza inteira - é social. Mesmo os processos mentais (internos, individuais) conservam uma natureza quase social. Em sua própria esfera privada, os seres humanos conservam as funções de interação social (Vygotsky, 1981, p. 164 apud Wertsch, 1985, p. 143)[11].

11 - Citação traduzida do original: ... toutes les fonctions mentales supérieures sont des relations sociales interiorisées ... Leur organization, leur structure génétique et leur moyenn d'action - en un mot, leur nature entère - est sociale. Même les processus mentaux (internes, individuels) conservent une nature quasi-sociale. Dans leur propre sphère privée, les êtres humains conservent les fonctions de l'interaction sociale (Vygotsky, 1981, p. 164 apud Wertsch, 1985, p. 143).

Com as palavras de Vygotsky é possível compreender que a subjetividade é uma internalização das relações sociais, uma internalização do nosso encontro com o outro, com suas palavras e suas atitudes. No entanto, esse processo não é realizado sob a forma de uma cópia, mas sob a forma de uma produção singular, pois, ao internalizar, o sujeito já transforma o conteúdo internalizado. O que é incorporado no processo de formação da subjetividade do sujeito não é simplesmente a relação interpessoal vivenciada, mas a produção de significações que emergiram daquele encontro com o outro (PINO, 2000). Em outras palavras, é possível compreender que o que foi vivenciado interpessoalmente torna-se intrapessoal, ao ser reconstruído internamente, através de uma longa série de eventos ocorridos ao longo do desenvolvimento do sujeito (VYGOTSKY, 1998a).

Há um outro aspecto desse episódio que ainda me parece bastante oportuno de ser abordado. As marcas que são construídas na subjetividade do narrador com a força de um martelo e com a dureza de algumas palavras, me fazem compreender que o desenvolvimento humano e a formação da subjetividade não são produzidos exclusivamente nas interações harmônicas: nas relações humanas em que há uma homogeneização de sentidos para os signos ideológicos em questão.

As situações de drama, conflito e desarmonia, situações de embates semióticos que ocorrem com os signos ideológicos, também apresentam a textura social da constituição do sujeito, pois esse processo acontece em todos os encontros dialógicos permeados por práticas discursivas realizadas na díade eu-outro, em todos os episódios: os harmônicos e os desarmônicos. Acontece nas interações sociais dialógicas, até mesmo nas interações que causam imobilismo, espanto e medo.

Esse fenômeno pode ser compreendido na medida em que a dimensão da alteridade humana é produzida pelos conflitos gerados na polissemia do signo, uma vez que nem todos os membros da interação social compartilham os mesmos sentidos para os signos ideológicos que emergem naquela relação (SMOLKA et al., 1998). Os signos ideológicos apresentam múltiplos sentidos e é precisamente essa arena semiótica que torna a formação da subjetividade um processo conflituoso, pois ela é produzida nos processos de diferenciação entre o eu e outro, nos embates criados entre os diferentes sentidos adotados para os signos nas práticas discursivas.

Dessa forma, as narrativas sobre o episódio do cinturão retratam uma multiplicidade de sentidos para o conceito de justiça, e, neles, é possível perceber um coral polifônico e desarmônico, pois quem seria o justo na história: o pai que encarna a figura da autoridade familiar ou o filho com sua suposta inocência? O que seria a justiça para ambos? As narrativas me levam a observar diferentes concepções de justiça que perpassam pelas relações daquela família, geram confrontos, torturas e constituem a subjetividade de seus protagonistas.

No episódio narrado, quando finalmente o narrador conseguiu escapar das torturas paternas, foi enroscar-se perto dos caixões, coçar as pisaduras, engolir soluços, gemer baixinho e embalar-se com os gemidos. Antes de dormir, no entanto, o narrador viu o pai dirigir-se à rede na qual deitara-se antes de sentir a falta do cinturão. Movimentos seguidos são narrados no livro. O pai sentou-se na rede e logo se levantou, agarrando uma fita de sola: o cinturão que se desprendeu da fivela enquanto ele dormia.

O cinturão foi encontrado e o narrador esperou que o pai lhe dissesse algo. Fosse justo. Pedisse desculpas, talvez. O que mais poderia restituir a tranqüilidade a uma criança acuada, torturada e injustiçada? O narrador confessa: *"Tive a impressão de que ia falar-me: baixou a cabeça, a cara enrugada serenou, os olhos esmoreceram, procuraram o refúgio onde me abatia, aniquilado"* (RAMOS, 1980, p. 35).

O pai silenciou, como se o silêncio fosse a corroboração de sua autoridade. Nesse silêncio havia muitos signos ideológicos e uma heterogeneidade de sentidos relacionados à sua autoridade irrestrita, à sua concepção de justiça. Esse foi o primeiro contato do narrador com a justiça. Uma justiça cega que era legitimada pela autoridade paterna. Uma autoridade absoluta que estava acima de quaisquer paradigmas da racionalidade. Acima de qualquer possibilidade de diálogo e argumentação, pois não era conquistada pelo prestígio, pelo respeito. Mas, ao contrário, era fundamentada nos mais antigos pilares da tradição familiar patriarcal nordestina. Batiam porque podiam lhe bater e isso parecia natural. Aliás, isso era cultural.

Em outro episódio do livro, o narrador nos fala sobre a sua ida para a escola e mais uma vez retrata a sua atuação diante da autoridade paterna. Segundo ele, lavaram-no, esfregaram-no, calçaram-lhe os sapatos apertados e o conduziram para o local de estudos.

Sapatos apertados que o colocavam numa nova condição social, pois não podia mais andar enlameado como gostava e nem preguiçar nos montes de milho, fazendo buracos fundos, mergulhando e depois provocando o desmoronamento daquela imensidão de grãos. Sapatos apertados que o introduziam num novo ambiente e o obrigavam a respeitar as normas disciplinares que existiam nele. Enfim, os sapatos apertados foram apenas o início de um processo de acomodação e adaptação a que o narrador deveria se submeter na escola. Em suas palavras, sapatos que *"machucaram-me, comprimiram-me os ossos"* (Id. Ibdem, p. 114). Ao fazê-lo, os sapatos produziram novos comportamentos, contribuíram com novos elementos de significação para a formação de sua subjetividade.

Mas como foi difícil para o narrador deixar todo o seu mundo! Deixar os filhos de Tetoninho Sabiá, a companhia quase sempre transgressora do Moleque José e do vaqueiro José Baía - um caboclo triste que nasceu de sete meses, foi criado sem mamar, bebeu leite de cem vacas na porteira do curral. Enfim, como foi difícil deixar todas as conversas de cozinha e as histórias da rua, entre outros momentos que faziam parte da vida do narrador, para se inserir no mundo da escola. Um mundo distante, permeado por lendas e histórias de professores rígidos, palmatórias e caroços de milho.

De acordo com sua narrativa: *"A notícia veio de supetão; iam meter-me na escola. Já me haviam falado nisso, em horas de zanga, mas nunca me convencera de que realizassem a ameaça"* (Id. Ibidem, p. 113). O narrador considerou a resolução dos pais uma injustiça e procurou, na consciência, um ato seu que determinasse essa punição: o exílio entre paredes escuras. Acostumado a ser culpabilizado e punido, o narrador procurava compreender sua ida para a escola dentro desse determinismo de justiça que orientava suas relações familiares.

Segundo ele: *"arranjaram impiedosos o sacrifício - eu me deixava arrastar, mole resignado, res infeliz antevendo o matadouro"* (Id. Ibidem, p.

114). *"Não me defendi, não mostrei razões que me fervilhavam na cabeça, a mágoa que me inchava o coração. Inútil qualquer resistência"* (Id. Ibidem, p. 113-114). Para ele, era inútil resistir, pois a escola era um microcosmo da uma sociedade autoritária e ele, apenas uma criança que deveria se submeter ao papel social que era destinado à infância: obediência e respeito.

No entanto, dias depois, o narrador participou de um episódio que re-significou sua formação. Estava na escola e viu chegar um menino acompanhado por dois homens. Aliás, um menino sendo segurado por dois homens, pois *"debatia-se, mordia, agarrava-se à porta e urrava feroz"* (Id. Ibidem, p. 117). O narrador observou-o com espanto e inveja, pois não lhe seria possível *"espernear, berrar daquele jeito, exibir força, escoicear, utilizar os dentes, cuspir nas pessoas espumante e selvagem"* (Id. Ibidem, p. 117).

No encontro eu-outro provocado por aquele episódio, o narrador percebeu uma outra possibilidade de relação com a autoridade. Uma relação que o fez concluir ser impossível resistir, pois tinha sido formado para se resignar aos sapatos apertados, aos cocorotes, cascudos e aos gritos dos pais. Segundo ele: *"Tinham-me domado. Na civilização e na fraqueza, ia para onde me empeliam, muito dócil, muito leve, com os pedaços da carta do A B C, triturados, soltos no ar"* (Id. Ibidem, p. 117). O encontro com o outro menino e com a sua atuação de resistência provocaram a corroboração da resignação no narrador.

Um outro episódio marcante na infância narrada é a invasão, não intencional, do pedinte Venta Romba na casa do narrador.

Venta Romba era um pedinte cuja *"voz corria mansa; as rugas da cara morena se aprofundavam num sorriso constante; o nevoeiro dos olhos se iluminavam com estranha doçura"* (Id. Ibidem, p. 228). De acordo com o narrador: *"Uma sexta-feira Venta Romba nos bateu à porta. Deve ter batido: não ouvimos as pancadas. Achou o ferrolho e entrou, surgiu de supetão na sala de jantar, os dedos bambeando no cajado. As moças assustaram-se, os meninos caíram em grande latomia"* (Id. Ibidem, p. 229). O pedinte foi mandado embora, mas embaraçou-se diante de tal ordem. Sua mãe tentou enxotá-lo, mas antes disso, expediu o Moleque José com um recado para o pai.

O pai tinha aceito o cargo de juiz substituto da cidade. O narrador não concordava com as atitudes do pai em relação à justiça e confessa que guarda dessa nomeação uma péssima lembrança, pois o pai *"nada percebia da lei, possuía conhecimentos gerais muito precários. Mas estava aparentado com os senhores de engenho, votava na chapa do governo, merecia a confiança do chefe político - e achou-se capaz de julgar"* (Id. Ibidem, p. 227). E complementa, finalizando sua crítica: *"Naquele tempo, e depois, os cargos (políticos) se davam a sequazes dóceis, perfeitamente cegos. Isto convinha à justiça. Necessário absolver amigos, condenar inimigos, sem o que a máquina eleitoral emperraria"* (Id. Ibidem, p. 227)

O pai enganara-se com o recado recebido do Moleque e enviou um bilhete ao comandante do destacamento solicitando atuação policial para resolver o caso. Com a autoridade de juiz substituto, o pai chegou alvoroçado em casa e pôs-se a interrogar Venta Romba. No entanto, o pedinte permaneceu sem conseguir se pronunciar sobre suas intenções ao entrar na casa do juiz. Estava nervoso, trêmulo. Era sexta-feira, dia de caridade, dia de ganhar um pires de farinha nas casas particulares e um vintém nas lojas e bodegas. Mas isso não importou. O juiz deu-lhe voz de prisão, pois tinha recorrido à força pública e não podia contradizer-se. Não podia voltar atrás e evidenciar que sua autoridade apresentara uma falha perante seus superiores e sua família, uma injustiça com um pobre pedinte. Tal como no episódio do cinturão, o pai silenciou, pois era a autoridade máxima, representava o detentor do saber e do poder. Venta Romba passou vinte e quatro horas na prisão, uma noite na esteira de pipiri, por ser sexta-feira: dia de caridade, dia de ganhar um pires de farinha nas casas particulares e um vintém nas lojas e bodegas.

Diante da prisão do pedinte, o narrador foi postar-se na calçada, sombrio e com aperto no coração, pois experimentava um grande desgosto misturado à repugnância e a um vago remorso. Segundo suas palavras: *"Testemunhava uma iniqüidade e achava-me cúmplice"* (Id. Ibidem, p. 235). E foi justamente o sentimento de cumplicidade com a arbitrariedade paterna, produzido pela impotência da sua voz de menino, que estabeleceu novos elementos para a configuração de sua subjetividade, para a sua relação com a justiça. De acordo com ele: *"Mais tarde quando os castigos cessaram, tornei-me em casa insolente e grosseiro - e julgo que a prisão de Venta Romba influiu nisto. Deve ter contribuído também para a desconfiança que a autoridade me inspira"* (Id. Ibidem, p. 235).

Portanto, ao internalizar as relações de injustiça e arbitrariedade que vivenciou com seu pai, o narrador realizou uma produção singular sobre esses acontecimentos. A internalização de sua relação com a autoridade foi uma resposta: a contra-palavra que não foi possível ser dita ao longo dos episódios narrados, mas que foi transformada em elementos de sua subjetividade. Tornou-se insolente. Sensível ao arbitrário e ao injusto. Tornou-se diferente de seu pai.

Um outro aspecto a ser mencionado é que a cultura representa os elementos que formam os sujeitos e, ao fazê-lo, há concomitantemente a transformação das matrizes culturais de cada época e lugar. A cultura se configura como um sistema aberto, em permanente processo de re-alimentação e re-significação de suas estruturas. Portanto, ao não reproduzir as arbitrariedades da autoridade paterna, não compactuar com o mesmo sentido de justiça, o narrador ofereceu novos elementos de significação à produção cultural de sua comunidade. Elementos de transformação das relações sociais em favor da despotencialização da autoridade patriarcal.

b) A religiosidade do narrador

> *Minha família não era rigorosamente cristã: fugia do confessionário, rezava pouco, ia à igreja com temperança nas festas, mas admirava as procissões, jejuava na semana santa e sabia perfeitamente que os pedreiros - livres dão sangue ao diabo, obtêm fortuna e condenam-se.*
>
> Graciliano Ramos

Nas memórias de infância do narrador, a sua relação com a religiosidade apresenta-se como um elemento bastante importante para sua formação. Seus dias eram permeados por histórias de almas do outro mundo, folhetos dos padres salesianos que chegavam regularmente pelo correio, litografias de santos e do inferno que faziam parte da decoração da sala de jantar e muitas discussões sobre os preceitos cristãos. Preceitos que chegavam ao narrador de forma fragmentada e nem sempre compreensível. Preceitos inquestionáveis que obrigaram o narrador, desde muito cedo, a estabelecer uma relação dogmática com a religião.

Embora estivesse mergulhada numa pluralidade de crendices, misticismo e simpatias que envolviam outras religiões, como a protestante e a maçônica, a religião católica era a crença oficial da família. Segundo o narrador, tal como a epígrafe que inicia esse texto, fugiam do confessionário, rezavam pouco mas preocupavam-se excessivamente com as questões da condenação e do fim do mundo. A mãe passava horas lendo os folhetos amarelos dos Salesianos e, assim, *"enchia-se de milagres ingênuos, parábolas, biografias de santos, lendas, conselhos exigentes, ofertas indefinidas e ameaças"* (Id. Ibidem, p. 70).

Em meio a essa multiplicidade de elementos religiosos, o narrador destaca entre as orações fortes que tinha ouvido do caboclo José Baía, a reza da cabra-preta. Segundo ele *"quem possuir essa mandinga escapa às mais graves situações, desdenha emboscadas, suprime inimigos, anda afoito pelos caminhos, emudece as armas de fogo. No perigo, transforma-se num toco. Ou some-se, evapora-se"* (Id. Ibidem, p. 66).

Como o narrador desejava conhecer essa reza valorosa! Segundo suas palavras: *"ser-me-ia agradável passar uma hora em sossego, olhando o muro do quintal, ouvindo os sapos do açude da Penha, o descaroçador do Cavalo Morto. Não me repreenderiam. Caso me chamassem, conservar-me-ia sentado na prensa de farinha, silencioso"* (Id. Ibidem, p. 66). A reza da cabra-preta proporcionaria a potência de que o narrador precisava para se sentir mais livre e realizar seus desejos de criança.

A religião era um elemento constantemente presente nas relações que o narrador estabelecia com sua mãe. Uma relação que pode ser compreendida dentro do seu contexto sócio-cultural por apresentar papéis sociais rigorosamente definidos para os membros familiares. O pai seria o provedor material da família. A ele caberia gerir as condições necessárias de subsistência para manter as pessoas que estivessem sob a sua responsabilidade. Já a mãe, cuja formação esteve pautada nas questões religiosas e na organização do lar, tinha como função social a provisão espiritual de sua família. A mãe do narrador - Sinha Leopoldina

- foi uma mediadora entre os conhecimentos religiosos e seus entes familiares. Foi através dela que eles conheceram as histórias dos santos, o medo do inferno e o jejum na Sexta-feira Santa. Portanto, não é de se estranhar que todos os episódios que apresentam relação com a religiosidade estejam envoltos com a presença materna.

Bakhtin (1997a) nos oferece elementos conceituais para compreender como os signos religiosos constituíram um papel de relevância na formação da subjetividade do narrador. Segundo ele *"a consciência adquire forma e existência nos signos criados por um grupo organizado no curso de suas relações sociais. Os signos são o alimento da consciência individual e a matéria de seu desenvolvimento"* (p. 35). Portanto, a consciência reflete as leis e a lógica dos signos ideológicos que a constituem. A consciência será formada a partir dos signos privilegiados na comunidade que abriga o sujeito, pois só podem entrar no domínio da ideologia, tomar forma e deitar raízes os signos que apresentarem valor social.

No caso da comunidade do narrador, as relações com a religiosidade perpassavam pela vida de vários habitantes da vila onde morava, pois não são raras as narrativas que tratam de histórias de padres terríveis, mortes e sepultamentos, condenações, ensino de catecismo e até mesmo uma formação para ser capelinha, pois, num dos capítulos, o narrador conta que Seu Nuno quis transformá-lo em ajudante de missa. Uma tarefa que o narrador aceitou prontamente pois sua grande ambição, nesse tempo, foi dedicar-se ao serviço de Deus para entrar no seminário. No entanto, o narrador não se mostrou capaz de tal responsabilidade, pois, segundo suas palavras: *"Adiantava-me, atrasava-me, escorregava no tapete, confundia a epístola com o evangelho, não segurava direito o missal, nos momentos mais sérios distraía-me olhando os vitrais"* (RAMOS, 1980, p. 194).

Impossibilitado de desempenhar tal ofício com desenvoltura e eficiência, o narrador logo teve suas funções cassadas pelo padre. Sua fé pouco a pouco arrefeceu. Guardou a batina e um dia se surpreendeu ao encontrar uma irmã mais nova, mascarada, usando toda sua indumentária da missa para brincar de baile de carnaval. Segundo o narrador: *"A batina envelhecia, desfiava-se nos bolsos e nas extremidades, cobria-se de nódoas. Esfarrapou-se nos brinquedos e esqueci-a"* (Id. Ibidem, p. 195).

De acordo com as narrativas do livro também é possível observar que a religião em muito se assemelhava à relação que o narrador estabelecia com a autoridade, pois os dogmas cristãos eram inquestionáveis e seu reconhecimento seria resultado do medo da condenação, do inferno e do purgatório. Não era possível resistir a esses ensinamentos, pois quem o fizesse estaria disposto a conhecer um lugar onde *"não havia plantas, nem currais, nem lojas, e os moradores, péssimos, torturados, por demônios de rabo de chifres, viviam depois de mortos em fogueiras maiores que as de São João e em tachos de breu derretidos"* (Id. Ibidem, p. 78). O narrador conhecia algumas torturas terrenas e não desejava se aventurar no conhecimento das torturas espirituais, eternas.

Diante da riqueza das descrições que a mãe fazia sobre o inferno, o narrador desejava ter provas da existência desse terrível lugar, desejava saber se ela já tinha estado no tão temido ambiente. Ofendida com a incômoda pergunta do narrador, a mãe responde que *"não tinha estado, mas as coisas não podiam se passar de forma diversa. Os padres ensinavam que era assim"* (Id. Ibidem, p. 79).

Tal como o chefe da família patriarcal, as autoridades religiosas ensinavam que era assim. No entanto, o narrador precisava ter uma prova material desses ensinamentos, *"reclamava uma testemunha, alguém que tivesse visto diabos chifrudos, almas nadando no breu"* (Id. Ibidem, p. 80), pois ainda não era capaz de compreender que as pessoas descrevessem coisas nunca vistas. Não era capaz de compreender os mistérios da fé, os dogmas religiosos que deveriam ser aceitos e cumpridos.

Perante a inexistência de testemunhas, o narrador recusou-se a acreditar no inferno e manifestou sua posição, contundentemente, ao dizer para a mãe: *"Não há nada disso!"* (Id. Ibidem, p. 80). Mas sua insolência custou um alto preço. Segundo suas narrativas: *"Minha mãe curvou-se, descalçou-se e aplicou-me várias chineladas. Não me convenci. Conservei-me dócil, tentando acomodar-me às esquisitices alheias. Mas algumas vezes fui sincero idiotamente. E vieram-me chineladas e outros castigos oportunos"* (Id. Ibidem, p. 81).

Em casa, a mãe representava a mais alta autoridade religiosa e isso lhe conferia o dever de zelar pela formação de seus filhos e o poder de corrigi-los, quando não caminhassem de acordo com os desígnios da fé. No entanto, as narrativas me permitem observar que o narrador tentou resistir por inúmeras vezes aos preceitos religiosos, por não perceber coerência nos mesmos. Segundo ele: *"Achava-me disposto a crer, aceitaria os casos extraordinários sem esforço, contanto que não houvesse neles muitas incompatibilidades"* (Id. Ibidem, p. 80).

Além de não perceber coerência nos dogmas, o fato da mais alta autoridade religiosa ser representada por uma figura feminina dava ao narrador a sensação de poder resistir, conferir sua contra-palavra nos diálogos que se travavam no ambiente familiar. A autoridade da mãe era mais tênue, passível de certa resistência e de novas produções de sentidos acerca da religiosidade.

E dessa forma, a religiosidade do narrador foi construída, simultaneamente, sob pilares de resistência e da coação, pois mesmo não acreditando no mundo espiritual tal como lhe foi apresentado por sua mãe, não poderia desconsiderar o inferno, as almas de outro mundo e o purgatório. O narrador ainda era uma criança. Uma criança amedrontada com tantos monstros e castigos eternos.

Num capítulo do livro, o narrador descreve quando sua mãe recebeu a notícia de que o mundo acabaria. Segundo ele, " *uma vozinha triste confessou-me, entre longos suspiros, que o mundo ia acabar. Estremeci e pedi explicações. Ia acabar. Estava escrito nos desígnios da Providência, trazidos regularmente pelo correio*" (Id. Ibidem, p. 78). Um cometa percorreria o céu na passagem do século e extinguiria toda a criação. Eis o motivo pelo qual o mundo terminaria em fogo. Um fogo arrasador que queimaria toda a existência.

Entretanto, o narrador se negou a acreditar no vaticínio pois concebia a materialidade do mundo forte demais para sucumbir à passagem de um cometa. Para ele, a fazenda e a vila resistiriam. A mãe estranhou a rebeldia do narrador em questionar os doutores que conheciam as trapalhadas do céu e adivinhavam as conseqüências dela. Como uma criança poderia questionar os doutores que entendiam as estrelas? Como ?!

Neste questionamento, o narrador implode com os papéis sociais previamente estabelecidos e resiste em acreditar na informação trazida pelo correio. Em sua meninice, o narrador evidencia a capacidade que a criança apresenta de subverter as ordens sociais e criar novos significados para as ações humanas, para a cultura de sua comunidade. Segundo as palavras do narrador, sua mãe

> *"refutou (sua) afirmação com descomposturas enérgicas lançadas em tom amável. Foi serenando, terminou o debate como se nos referíssemos a visões de sonhos. Teimava em declarar-me um animal. Não conseguiu intimidar-me. E era essa ausência de medo, indiferença aos perigos distantes, ao fogo, ao extermínio que a tranqüilizava (Id. Ibidem, p. 76).*

Nessas narrativas, torna-se claro o efeito de re-significação ocorrido nos conhecimentos de Sinha Leopoldina sobre a religiosidade, pois, no encontro dialógico travado entre ela e o narrador, surgem novos elementos de significação sobre o fim do mundo e as possíveis conseqüências da passagem dos cometas. No encontro com as idéias do filho, um filho que era considerado como um animal, a mãe se tranqüiliza e transforma seu pensamento sobre a ira divina, a destruição dos tempos. E neste movimento psíquico, a relação de Sinha Leopoldina demonstra que a formação da subjetividade é um processo de produção intermitente, tal como os enunciados que formam as cadeias de diálogos que perpassam continuamente pela nossa vida.

Mais uma vez é Bakhtin (1997a) quem contribui para a compreensão desse processo de re-significação subjetiva, pois, em sua concepção de linguagem como um fenômeno dialógico e polissêmico, formado a partir da infra-estrutura material da sociedade, " *o psiquismo e a ideologia estão em interação dialética constante*" (p. 16). Ambos apresentam como terreno comum o signo ideológico, pois ele vive graças a sua realização no psiquismo e, reciprocamente, a produção psíquica vive do suporte ideológico.

A consciência está repleta de signos ideológicos e, por conseguinte, torna-se uma arena dos conflitos da língua que refletem as lutas de classes. Nas palavras de Bakhtin (1997 a): " *A comunicação verbal (...) implica conflitos, relações de dominação e de resistência, adaptação ou resistência à hierarquia, utilização da língua pela classe dominante para reforçar seu poder*" (p.14). Tal como a língua é modelada pela ideologia que reflete as superestruturas sociais, políticas e culturais, a subjetividade também o é, pois é formada pelos mesmos elementos: os signos ideológicos.

Dessa forma, as práticas discursivas realizadas entre a mãe e o narrador provocaram a construção de novos conhecimentos sobre os ideais religiosos a partir dos embates, dos conflitos gerados entre os diferentes sentidos atribuídos aos signos relacionados à religiosidade. Signos ideológicos que formaram subjetividades e transformaram práticas sociais.

Além disso, o episódio em que o narrador expõe suas idéias sobre os cometas e transforma o conhecimento da mãe evidencia que a formação da subjetividade não é um processo unilateral. Mas, ao contrário, é um processo que afeta o sujeito em todas as fases de seu desenvolvimento e acontece com ambos os protagonistas que estão envolvidos nas relações intersubjetivas. Adultos e crianças permanecem, continuamente, re-significando suas subjetividades, seus modos de ser e estar no mundo.

Bakhtin (1997b) nos ajuda a compreender o processo de formação do sujeito conceitualmente ao afirmar que nossa relação com o ambiente nunca é acabada. A unidade subjetiva do homem é, a um só tempo, dada e não dada, pois ela é conquistada quotidianamente à viva força, às custas da atividade cultural, das relações humanas que são travadas no seio da sociedade. A formação do homem é permeada pela influência do meio sócio-cultural, um meio em vertiginosa transformação que oferece elementos diferenciados para a constituição das subjetividades. No contato com outros sujeitos, o homem cria a consciência de seu permanente inacabamento, da possibilidade de estar se completando e se diferenciando no contato com os outros sujeitos.

As narrativas sobre as relações familiares prosseguem, até que, dois anos depois, o cometa rasga o céu da pequena cidade em que viviam e comporta-se bem, sem provocar estragos ou incêndios. Sua família foi assistir à passagem do astro na torre da Igreja e nem se lembrava dos dissabores que a leitura dos folhetos provocara. O mundo não acabou. Por graça divina e não por erro dos doutores que entendiam das estrelas. Para sua família, Deus era misericordioso e os doutores continuavam a ser sábios cientistas.

Em outro episódio do livro, o narrador fala sobre um acesso de religião que tivera. Segundo ele, os santos que estavam pendurados nas paredes de seu quarto cresceram demais e logo diminuíram para darem espaço aos seres que habitavam as histórias volumosas: os heróis.

Ambos esses entes de sonho, santos e heróis, disputavam o mundo interior do narrador e ele atribui esse comportamento a uma proibição terrível que sofrera na infância. A proibição de ler um folheto de capa amarela que descobrira na loja paterna: *O menino da mata e seu cão Piloto*. Um livro que contava a história de garotos abandonados numa floresta, que ouviam gritos de lobos. O narrador tinha predileção por histórias de crianças abandonadas e, por isso, se dedicou à tão penosa leitura do romance.

Em casa, em meio ao entusiasmo que a leitura lhe proporcionava, mostrou o folheto à prima Emília. No entanto, ela se surpreendeu: " *arregalou os olhos, atentou horrorizada ao folheto, pegou-os com as pontas dos dedos, soltou-o, como se ele estivesse sujo, aconselhou-me a não ler.* Aquilo era pecado" (RAMOS, 1980, pp. 211-212). O livro seria pecado. Para ela, o livro seria pecado. O livro era excomungado pois teria sido escrito por um protestante para enganar os tolos. O narrador objetou, pois o cachorro e o menino procediam como cristãos. O que a prima respondeu prontamente como sendo o grande perigo daquele tipo de literatura, pois " *quando o diabo queria tentar as pessoas, simulava boa aparência, escondia os pés de pato e dava conselhos razoáveis. Depois mostrava as unhas e o rabo, cheirava a enxofre, levava a gente para o inferno*" (Id. Ibidem, p. 212).

Inconformado com o conselho da prima para não ler o livro, o narrador teve desejo de se rebelar. Teve o desejo de resistir à sua autoridade. Segundo ele, " *regressei à loja sem me resolver a jogar fora o folheto condenado. Ao passar diante da Igreja, tirei o chapéu, rezei um padre nosso e uma ave-maria. Tinha-me habituado a esse exercício, mas agora rezava desesperadamente, com remorso, por trazer debaixo do paletó, colado ao corpo, um objeto impuro*" (Id. Ibidem, p. 213). E no conflito entre o desejo de ler o folheto e a proibição, o narrador fala: " *era como se me fechassem uma porta, porta única e me deixassem na rua, à chuva, desgraçado, sem rumo. Proibiam-me rir, falar alto, brincar com os vizinhos, ter opiniões. Eu vivia numa grande cadeia. Não, vivia numa cadeia pequena, como papagaio amarrado na gaiola*" (Id. Ibidem, p. 213).

O menino da mata e o cão Piloto morreram e o narrador nada teve para substituí-los. O narrador chorou muito, mas não se atreveu a ler o folheto, pois havia os protestantes, havia o diabo: entes que o enchiam de pavor. Em suas palavras: " *Perigos tremendos, horríveis, perigos indecisos rolaram por cima da minha cabeça*" (Id. Ibidem, p. 214).

Nesse episódio observo que a crença de sua família no catolicismo era defendida com proselitismo, pois tudo o que estava relacionado às outras religiões era considerado pecado e motivo de condenação. A intolerância religiosa fez com que o narrador respeitasse os dogmas católicos e temesse o não cumprimento deles. Tal como temia o não cumprimento das ordens paternas, pois sua relação com a religiosidade estava assentada sob as mesmas bases de sua relação com a autoridade: a coerção e a impossibilidade de emitir sua contra-palavra. Uma continuidade nos diálogos que não propiciava a polifonia, a multiplicidade de sentidos para os signos relacionados a Deus e ao diabo, à Igreja e aos homens.

Para corroborar a interpretação de que o narrador reproduzia o mesmo tipo de relação entre a autoridade e a religiosidade, destaco que sua mãe era a autoridade religiosa que controlava o comportamento na terra e, por isso, encorajava certas resistências do narrador em aceitar os dogmas religiosos. No entanto, havia, também, os fantasmas, as almas de outro mundo, o diabo que cheirava a enxofre, o padre e o próprio Deus, entidades etéreas que representavam o mesmo poder que o pai tinha sobre o narrador. O poder patriarcal que fez o narrador não ler o livro, ter medo do inferno e não maldizer os assuntos religiosos.

A religião foi um forte aspecto na constituição da subjetividade do narrador. Uma formação que contempla as estruturas ideológicas da comunidade em que vivia, pois a " *produção de idéias, de representações da consciência, está, de início, diretamente entrelaçada com a atividade material e com o intercâmbio material dos homens*" (MARX, 1979, p. 36). A religiosidade era uma superestrutura simbólica que se localizava imediatamente acima da estrutura material do agreste nordestino. Uma estrutura que constituía as subjetividades sob as bases do medo, da autoridade e da impossibilidade da contra-palavra.

4.1.2. O narrador e seus professores

> *O infeliz não pretendia ser homem. E ali estava, sucumbido, enxofrado, ressumando peçonha. Os olhos ensangüentavam-se, os dentes rangiam. E consertava-nos furiosamente a pronúncia, obediente a vírgulas e pontos, forçava-nos a repetir uma frase dez vezes, punha notas baixas nas escritas, rasgando o papel e farejava as contas até que o erro surgia e se publicava com estridência arrepiada. Nesse policiamento súbito acuávamos - e as folhas virgens endureciam.*
>
> Graciliano Ramos

A longa epígrafe acima descreve cenas da educação nordestina do início do século passado: uma educação pautada no excesso de autoridade dos professores. Um excesso que talvez possa ser compreendido como uma compensação para a falta de formação sistemática dos mesmos. Havendo poucas escolas normais no início da República Brasileira, os professores não tinham acesso a uma formação profissional que lhes conferisse o conhecimento de diferentes métodos pedagógicos, dos conteúdos apropriados para cada fase do ensino e, principalmente, não apresentavam discernimento sobre o seu posicionamento como professor: suas atribuições e seus limites na sala de aula.

Desta forma, as narrativas que descrevem a relação estabelecida entre o narrador e seus professores sempre caracteriza-os como excessivamente duros e leigos. Nas palavras do narrador: " *a escola era horrível - e eu não podia negá-la como negava o inferno*" (RAMOS, 1980, p. 113). Durante as aulas " *distraía-me espiando o teto, o vôo das moscas, um pedaço do corredor, as janelas, a casa de azulejos, cabeças de transeuntes*" (Id. Ibidem, p. 123). Enfim, uma escola totalmente dissociada da experiência do narrador, de seu meio sócio-cultural.

Relações de abuso de poder foram descritas tanto nas escolas públicas como nas escolas particulares que o narrador conheceu, pois os professores transferiam para seus alunos as mesmas relações de subserviência que vivenciaram ao longo da vida. Em sua maioria, os professores citados eram negros ou mulatos forros que encontraram na docência uma forma de se manter financeiramente com os pingados vencimentos do Tesouro. Além disso, a autoridade que a docência lhes proporcionava era uma forma de devolver à sociedade todas as aviltantes humilhações a que foram submetidos.

Num dos capítulos, o narrador conta a submissão que foi infringida à prima Adelaide pela professora Maria do O - " *uma mulata fosca, robusta em demasia, uma das criaturas mais vigorosas que já vi*" (Id. Ibidem, p. 174). Um vigor que se manifestava em repelões e em berros, aos setenta ou oitenta alunos arrumados por todos os cantos na sala de aula.

Segundo ele, Adelaide vinha de uma família rica e os pais, por não desejarem perdê-la de vista, resolveram confiá-la a uma escola próxima de sua casa: a escola pública de D. Maria do O. Com medo de sujeitar a filha a quaisquer inconveniências de colégios distantes, os pais faziam planos para o seu futuro: conservaria todas as virtudes perto de casa, "*bordaria fronhas, ligar-se-ia no altar, sem namoro, a um rapaz de juízo e fortuna, bem apessoado. E diferenciar-se-ia das mulheres que fumavam cachimbo de barro* (Id. Ibdem, p. 176). Desejavam formar "*uma Adelaide letrada, não muito letrada, com as inovações e as letras necessárias. Uma Adelaide que se banhasse no rio e falasse francês*" (Id. Ibidem, p.176).

Entretanto esses planos amargaram a vida da pobre menina, pois na escola foi reduzida, por D. Maria do O, à condição de sua criada. A menina rica passava seus dias se dividindo entre as atividades da escola e a labuta doméstica, na qual sofria a birra de três velhas padecedoras de enxaquecas que a obrigavam a varrer a casa e a lustrar os móveis. Segundo o narrador " *três velhas cor de piche. Essas fúrias boçais vinham de classe muito baixa, tinham decerto adquirido, nas senzalas, o veneno que destilavam. Da subserviência antiga passavam às ordens brutais, vingavam-se numa possível descendente de senhores remotos*" (Id. Ibidem, p. 176).

Além das relações de poder excessivamente rígidas e violentas, o narrador fala sobre o despreparo dos professores que lecionavam. Entre eles, merece destaque a professora Agnelina, que foi cúmplice do narrador no desconhecimento da pronúncia correta para o nome do escritor estrangeiro Samuel Smiles. De acordo com as palavras do narrador:

> A professora me corrigia. Quando, porém, eu engrolava, tossindo, o nome do autor, faltava a emenda - e em conseqüência presumi que, pelo menos nesse ponto, a rudeza da mulher coincidia com a minha. Certifiquei-me disso deixando de tossir e pronunciando Smiles de várias maneiras, sem que D. Agnelina me repreendesse (Id. Ibidem, p. 205).

Posteriormente, o narrador conta ter percebido um procedimento esquisito na professora, pois antes que falasse a esdrúxula palavra de pronúncia desconhecida, D. Agnelina fechava o livro e encerrava a lição, desconcertada. Segundo ele: "*Nasceu daí uma espécie de cumplicidade que a tornou razoável durante meses. Em aritmética eu era um selvagem, pouco mais ou menos um selvagem, mas fui tolerado, e creio que devo isto a Samuel Smiles*" (Id. Ibidem, p. 205).

E assim, o narrador rememora suas experiências com vários professores: a maternal D. Maria, a ousada D. Maria do O, a cúmplice D. Agnelina, o austero Professor Rijo e, finalmente, o literato e admirável diretor da companhia de teatro, professor Mário Venâncio. Alguns desses professores conservaram-se distantes, apoiados sobre métodos pedagógicos ineficientes e concentrados em conteúdos de conhecimento que misturavam valores religiosos às aulas de geografias longínquas e aritméticas incompreensíveis.

Professores que conservaram uma assimetria tão expressiva em suas relações com o corpo discente que comprometiam o processo de aprendizagem do narrador. Segundo ele: " *Isso me privou de excelentes mestres. Na verdade, os melhores que tive foram indivíduos ignorantes. Graças a eles, complicações eruditas enfraqueceram, traduziram-se em calão*" (Id. Ibidem, p. 120). Nessa tradução, o narrador fala da possibilidade da contra-palavra que marcava a interlocução com os mestres ignorantes. Um processo discursivo bastante diferenciado da escola tradicional, pois nela nem sempre havia a réplica, as enunciações que compunham as cadeias dialógicas nem sempre eram compreensíveis pelos sujeitos em interação.

Em suas narrativas, o narrador exemplifica essa relação de assimetria e falta de interlocução na escola ao nos contar sobre as aulas de um certo professor Rijo. Segundo ele:

> Éramos apenas dois alunos, eu e meu primo José, um pouco mais bruto que eu. Na ausência do mestre bocejávamos, olhávamos as andorinhas do céu, as lagartixas brancas na parede e os lombos temerosos dos livros nas estantes. O homem aparecia de salto, tomava nossas lições rapidamente, escorregava algumas perguntas e dava logo as respostas, sem esperar que acertássemos ou errássemos (Id. Ibidem, p. 206).

Entretanto, em meio a esse quadro de formação desolador, o narrador destaca a atuação diferenciada de dois professores no seu processo de aprendizagem e construção de conceitos: D. Maria e Mário Venâncio. Professores que mesmo sem conhecerem o conceito vygotskiano, desempenharam a função de mediadores no processo de construção do conhecimento, por trabalharem em proximidade com seus alunos, por admitirem a cooperação como forma privilegiada de interação entre os mesmos e por proporcionarem zonas de desenvolvimento proximais nas atividades de classe (VYGOTSKY, 1998 a).

Resgatando um pouco da história, o narrador fala que, ao ser levado para a escola, estava certo de que seria entregue a " *um sujeito bar-*

bado e severo, residente no largo, perto da igreja" (RAMOS, 1980, p.117). No entanto, teve a grata surpresa de encontrar D. Maria - uma gorda mulher que não era nem triste nem alegre, não lisonjeava nem magoava o próximo. Segundo o narrador, a professora conservou-o perto dela, provavelmente por recomendação de seu pai, que, ao apresentar-lhe, exagerava na teimosia e na rudeza.

Já no primeiro encontro, D. Maria mandou o narrador ler um folheto que tirara de uma caixa branca. O narrador falou sobre sua impossibilidade, pois ainda não tinha estudado as letras finas, menores que as da cartilha do ABC e, portanto, necessitava de alguém que as esclarecessem. Ao expor sua dificuldade, teve, como resposta da professora, uma ajuda próxima e fraternal. De acordo com o narrador: " *D. Maria resolveu esclarecê-las, mas parou logo. Deixou-me andar só no caminho desconhecido. Parei também e ela me incitou a continuar. Percebi que os sinais miúdos se assemelhavam aos borrões da carta, aventurei-me a designá-las, agrupá-los, numa cantiga lenta que a professora corrigia* " (Id. Ibidem, p. 118).

O narrador esperou a impaciência da professora, mas ela não se manifestou. Então, conta ter explorado diversas páginas do folheto até que D. Maria o interrompeu fazendo elogios moderados. Elogios que o narrador ainda não tinha ouvido da boca dos outros. Elogios que despertaram os mais transformadores sentimentos em sua auto-estima, pois tocaram em suas potencialidades. Segundo suas palavras:

> Nessa paz misericordiosa os meus desgostos ordinários se entorpeciam, uma estranha confiança (...) aliviava-me o coração. Narrei-lhe tolices. D. Maria escutou-me. Assim, amparado, elevei-me um pouco. Os garranchos à tinta continuaram horrorosos, apesar do esforço de Sinha, mas o folheto de capa amarela foi vencido rapidamente. Tudo ali era fácil e desenxabido: combinações já vistas na carta de ABC, frases que se articulavam de um fôlego (Idem, p.124).

Com essa postura próxima e cooperativa, D. Maria proporcionou que a aprendizagem da leitura se antecipasse ao desenvolvimento de algumas funções cognitivas do narrador, pois suas narrativas retratam que mesmo não tendo domínio sobre a leitura, a professora o estimulou ao ato de ler. Portanto, é possível compreender que neste desafio e na interação cooperativa com um sujeito mais experiente, foi estabelecida uma zona de desenvolvimento proximal entre o narrador e a professora: um momento privilegiado para a maturação de funções cognitivas embrionárias e para a aquisição de novos conhecimentos. Conhecimentos que o narrador não construiria sozinho.

Ao fornecer ao narrador elementos conceituais para a decodificação dos signos lingüísticos, a professora realiza uma metodologia pedagógica que Vygotsky (1998a) já enfatizava no início do século passado. Segundo ele, numa atividade coletiva ou realizada sob a orientação de adultos, as crianças são capazes de aprender mais, desenvolvendo-se cognitivamente. Além disso, enfatizou também que o bom aprendizado seria aquele que se adiantasse ao desenvolvimento, pois o que é aprendido em cooperação é internalizado e se torna parte das aquisições do desenvolvimento independente da criança. Em outras palavras: o que a criança é capaz de realizar no presente, em cooperação com um parceiro, será capaz de realizar independentemente, no futuro próximo.

As narrativas indicam que a proximidade com a professora e a possibilidade de receber uma atenção individualizada de um parceiro mais experiente foram elementos decisivos e facilitadores da apreensão da leitura pelo narrador. O que pode ser corroborado em suas próprias palavras quando se refere às atividades de leitura como fáceis e desenxabidas.

Um dos fatores que talvez possibilitasse a maior interação entre D. Maria e seus alunos residia no fato de ela ser uma professora leiga, ter poucos conhecimentos e, portanto, apresentar um nível de desenvolvimento intelectual apenas um pouco diferenciado dos alunos. Uma situação que ficava evidente nas seguintes palavras do narrador: " *D. Maria encerrava uma alma infantil. O mundo dela era o nosso mundo, aí vivia farejando pequenos mistérios nas cartilhas. Tinha dúvidas numerosas, admitia a cooperação dos alunos, e cavaqueiras democráticas animavam a sala*" (Id. Ibidem, p. 120).

As aulas de D. Maria eram um vivo exemplo de construção coletiva do conhecimento, pois a gorda senhora re-significava seus saberes e sua subjetividade na interação quotidiana com seus alunos. Um exemplo dessa afirmação foi o episódio em que o narrador descreve detalhes da postura profissional da professora ao compartilhar com a turma a construção de significados para um objeto estranho que apareceu na sala de aula. Segundo ele:

> Certo dia, apareceu na gaveta da mesa um objeto com feitio de um lápis. Lápis graúdo, alvacento numa extremidade, escuro na outra. Que seria? Toda a aula foi interrogada, examinou o pedaço de madeira, apalpou-o, mordeu-o, balançou a cabeça e estirou o beiço indecisa. D. Maria recolheu-se, ponderou, afinal sugeriu que talvez aquilo fosse medida para Seu Antônio Justino cortar fumo (Id. Ibidem, p.p 120-121).

No episódio torna-se clara a postura mediadora que foi desempenhada pela professora. Ao ouvir os comentários de todos os alunos e, portanto, proporcionar uma dinâmica de interlocução na sala de aula, ela inaugurou um espaço dialógico que abrigou o encontro e o confronto de várias vozes. Vozes dissonantes que defendiam múltiplos significados para a origem de tão estranho objeto.

Cumpre observar que o ponto mais interessante da dinâmica interativa proporcionada pela professora foi o fato de possibilitar que os alunos elaborassem seus conhecimentos através dos enunciados proferidos sobre o estranho objeto. O que seria aquilo? Para responder, os alunos precisaram estabelecer elos de ligação entre os conhecimentos já adquiridos em sua estrutura cognitiva e os novos elementos de significação que foram introduzidos na interação com os colegas.

D. Maria protagonizou um episódio de construção coletiva do significado de forma dinâmica e flexível, pois conseguiu entreter toda a turma no questionamento sobre o objeto e orquestrar os diferentes sentidos que emergiram daquelas práticas discursivas. Sua mediação é caraterizada por dois momentos consecutivos: a interlocução e a retificação, na medida em que após ter permitido a todos os alunos se pronunciarem, a professora restaura sua autoridade como docente e retifica o significado do objeto, sugerindo que "*talvez aquilo fosse medida para Seu Antônio Justino cortar fumo*" (Id. Ibidem, p. 121).

Ao não utilizar um processo de silenciamento dos alunos e nem de sua especificidade de professora, D. Maria concebe a atuação docente como um elemento de destaque dentro das interações discursivas na sala de aula. Um elemento de destaque, mas não o único. E dessa forma, contribui com elementos singulares na constituição do sujeito ao lhe conferir a potencialidade que é inerente ao processo de construção coletiva dos conhecimentos. De acordo com as narrativas do livro, posso compreender que tanto o narrador como os demais companheiros de sala de aula tornaram-se autores e ativos participantes do processo de construção de conhecimento.

Um outro professor que marcou a construção de conhecimentos e habilidades do narrador foi Mário Venâncio - " *um sujeito profundo, colaborador de jornais, autor de livros, o diabo. As maneiras esquivas e torcidas exprimiam vida interior, desprezo ao senso-comum, inspiração de poeta*" (Id. Ibidem, p. 237). Conhecido na escola como professor de geografia, o que não era sua especialidade, Mário Venâncio " *pouco a pouco abandonou os mapas, as listas de mares e os rios. Insinuou-nos a fundação de um periódico*" (Id. Ibidem, p. 237).

No entanto, apenas o narrador e seu primo Cícero se aferraram à idéia e tornaram-se os diretores de "O Dilúculo" - " *uma folha impressa em Maceió, com 200 exemplares de tiragem quinzenal, trazidos pelo estafeta Buriti*" (Id. Ibidem, p. 237).

Em meio a esse contexto de produção literária e à admiração que a figura do professor lhe provocava, o narrador começou a participar, espontaneamente, de rodas de leitura em sua cidade. Segundo ele, mesmo "*sem apanhar direito o sentido de alguns vocábulos, estudava-os no dicionário, empregava-os com energia*" (Id. Ibidem, p. 238). E assim, começou a escrever contos para o periódico e se lançou na crítica literária. O primeiro deles foi "*O pequeno Mendigo*", um conto lançado repleto de arrebiques engrendrados pelo professor Mário Venâncio. Arrebiques que transformavam por completo a criação original, deixando o narrador vexado com o embuste.

Neste contato com a produção literária, o narrador conta que o professor lhe pressagiava um bom futuro. Segundo ele:

> Via em mim sinais de Coelho Neto e Aluísio de Azevedo - e isso me enobrecia e me alarmava. Acanhado, as orelhas ardendo, repeli o vaticínio: os meus exercícios eram composições tolas, não prestavam. Sem dúvida, afirmava o adivinho. Ainda não prestavam. Mas eu faria romances. Gastei meses para certificar-me de que o palpite não encerrava zombaria (Id. Ibidem, p. 240).

O interesse pela criação literária apenas foi aumentando nessa interação privilegiada com o professor. Uma interação em que foi estabelecida uma produtiva zona de desenvolvimento proximal, pois as capacidades cognitivas que se encontravam em estágio embrionário no narrador, foram amadurecendo no contato prazeroso com o professor e a obra literária. Ao co-criar os contos escritos pelo narrador, dando o acabamento e fazendo as revisões que considerava pertinentes, o professor Mário Venâncio se transformou num parceiro privilegiado para o desenvolvimento da capacidade criadora do narrador, da construção do gosto pela literatura e da aquisição de conceitos próprios de crítica literária.

Ao final do episódio, o narrador conta que o amável professor bebeu ácido fênico e morreu. O Dilúculo também morreu. O narrador se afastou da crítica literária, mas conservou, em sua formação subjetiva, os elementos de significação que foram construídos na relação estabelecida com o professor. Mário Venâncio foi capaz de perceber, de forma prospectiva, o desenvolvimento da aptidão pela produção literária que o narrador apresentava. Em outras palavras, o potencial que o narrador apresentava para a produção artística apenas foi desvelado na interação privilegiada com o mestre, que lhe corrigia as construções sintáticas, comentava o estilo e co-criava o texto.

A literatura passou a fazer parte da vida do narrador, tornando-se um aspecto de grande importância na constituição de sua subjetividade e na forma de construir conhecimentos sobre o mundo e sobre os homens.

Com a interpretação dos episódios narrados pelo referencial teórico sócio-histórico, compreendo que os parceiros mais próximos de interação do narrador tiveram uma importância singular no processo de constituição de sua subjetividade, pois ele internalizou as relações sociais vividas. Internalizou as crenças religiosas, as relações com a justiça e os conhecimentos que foram construídos ao longo de sua infância. As experiências vivenciadas com outros sujeitos transformaram-se em elementos de significação para a constituição do narrador. Portanto, é possível afirmar que em seu processo de constituição há um coral composto por diferentes vozes que o habitam, criando conflitos, sentimentos e conhecimentos.

Seus pais foram os sujeitos mais representativos das interações vivenciadas pelo narrador, pois lhe forneceram a provisão material, espiritual e psicológica. Na relação que estabeleceu com os pais, o narrador se tornou um sujeito inseguro e impotente. Um sujeito amedrontado com seus desejos e seus pensamentos, amedrontado com a possibilidade de punição por pensar diferente. De acordo com suas narrativas: " *No íntimo julgava-me fraco. Tinham-me dado essa convicção e era difícil vencer o acanhamento*" (RAMOS, 1980, p.120).

Por outro lado, os professores formaram um grupo heterogêneo que propiciou uma diversidade de relações sociais e contatos com o conhecimento. Alguns dos professores - aqueles que atuaram como mediadores - inseriram novos elementos de significação na formação do narrador, pois possibilitaram a autoria, o pensar livremente e a tecedura de críticas sobre os métodos usados e conteúdos ensinados na escola. Esses professores possibilitaram o exercício da contra-palavra, da réplica e do questionamento. E, nessa prática discursiva, possibilitaram a emergência de um sujeito contestador da ordem sócio-cultural vigente e criador de novos sentidos para as palavras ditas de sua comunidade.

4.2) O narrador e os livros

> *A professora atrasada possuía raro talento para narrar histórias de Trancoso. Visitava-nos, prendia-nos até meia noite com lendas e romances, que estirava e coloria admiravelmente. Nada me ensinou, mas transmitiu-me a afeição pelas mentiras escritas.*
>
> Graciliano Ramos

Para compreender como a relação que o narrador estabeleceu com os livros contribuiu no processo de constituição de sua subjetividade, remeto-me à categoria teórica de mediação semiótica da vida mental. Uma categoria central na obra de Vygotsky, pois através dela é possível examinar os sistemas de instrumentos e signos que desempenham um papel essencial na organização dos processos psicológicos humanos (WERTSCH, 1985).

Para Vygotsky (1998a), a relação do homem com seu meio sócio-cultural é sempre uma relação mediada por outros homens ou por instrumentos culturais. A imersão do sujeito na cultura e sua transformação ocorrem via um outro sujeito que funciona como um elemento mediador entre a realidade sócio-cultural e o homem. É o outro que apresenta os signos, os instrumentos e os símbolos que compõem a cultura. É o outro que nos fala sobre as tradições, nos ensina a linguagem e nos proporciona o contato com os artefatos culturais produzidos em nossa sociedade.

Dessa forma, é possível afirmar que a mediação semiótica " *... é toda a intervenção de um terceiro 'elemento' que possibilita a interação entre os termos de uma relação*" (PINO, 1991, p. 32-33).

A tese da mediação semiótica da vida mental foi inspirada na concepção de Marx e Engels (1960) sobre o trabalho humano e o uso de instrumentos para a transformação da natureza. Inspirado nos autores supra citados, Vygotsky (1996) afirma que, quando um sujeito transforma a natureza com a força de seu trabalho ou com a sua produção cultural, certamente transformará suas funções psicológicas, pois será necessário criar todo um aparato mental específico para se relacionar com as novas formas culturais.

Ainda segundo os autores citados, o trabalho teria surgido a partir da liberação das mãos humanas no movimento de locomoção. Assim, é possível afirmar que a " *mão não é somente o órgão do trabalho, é também seu produto*" (ENGELS; MARX, 1960, p. 282 apud VYGOTSKY, LURIA, 1996, p. 88), pois o homem emergiu psicologicamente a partir da confecção de ferramentas e do uso de instrumentos. Emergiu como sujeito a partir da compreensão de sua potencialidade na criação cultural e na transformação da natureza. Emergiu a partir da utilização do machado para o corte, do uso do fogo para o aquecimento, da criação de armas para a defesa e da construção de cabanas para proteção da prole contra os predadores, contra o frio e contra a noite. Emergiu a partir do momento em que transmitiu esses conhecimentos aos seus descendentes, formando o patrimônio cultural de sua comunidade.

Para Vygotsky (1996), os instrumentos culturais e os signos são mediadores por excelência da constituição do sujeito, pois proporcionam a transformação do mundo, a comunicação e a construção de funções psicológicas próprias de cada época e lugar. Essa teoria me permite compreender que cada geração criará instrumentos culturais específicos para as suas necessidades e, por conseguinte, construirá habilidades cognitivas para se relacionar com eles, pois as funções psicológicas superiores são construídas nas interações sociais, nos encontros realizados entre os sujeitos e, entre os sujeitos e os objetos.

Os instrumentos culturais são elementos externos ao sujeito que apresentam como função a transformação dos objetos e o controle da natureza. Na história do homem primitivo, esses instrumentos eram representados pelos artefatos que permitiam uma maior transformação do meio ambiente, como os machados, as facas, as pedras, entre outras ferramentas que tornavam a vida humana menos selvagem. Já nos dias atuais, encontramos uma multiplicidade de instrumentos culturais altamente sofisticados e produzidos por profissionais especialmente qualificados. Esses instrumentos nos incitam à construção de novas formas de pensamento e relação com o meio ambiente, pois necessitam de funções psicológicas diferenciadas para a sua utilização.

Os signos são instrumentos psicológicos orientados para o próprio sujeito, para o controle de suas ações psicológicas. Como exemplos de signos, é possível destacar a linguagem, bem como todas as formas de comunicação e expressão de idéias, sentimentos e juízos de valores. Na atualidade, convivemos com uma pluralidade de jogos de linguagens que se apresentam por imagens, palavras abreviadas, símbolos entre outros códigos que são adotados por alguns grupos sociais e vêm transformando sua forma de se relacionar com o conhecimento e com a comunicação.

É importante destacar que tanto os instrumentos como os signos estão interligados e são igualmente importantes na constituição do sujeito, pois a alteração da natureza pelo homem, provoca sua própria alteração; provoca a construção de novas funções psicológicas superiores.

Cumpre observar ainda que as transformações na estrutura psicológica do sujeito não se localizam na morfologia do órgão cerebral, pois ele apresenta uma notável plasticidade que possibilita a organização de sua estrutura e de seu modo de funcionamento, de acordo com as atividades culturais da espécie. Para compreender o funcionamento cerebral humano, é preciso recorrer à idéia de um sistema funcional aberto, pois as funções psicológicas superiores não podem ser localizadas em pontos específicos do cérebro. São " *organizadas a partir da ação de diversos elementos que atuam de forma articulada, cada um desempenhando um papel naquilo que se constitui como um sistema funcional complexo*" (OLIVEIRA, 1992, p. 25).

Sendo assim, de acordo com essa abordagem teórica, compreendo que o sujeito será o resultado de sua atividade no meio sócio-cultural. Suas funções psicológicas superiores serão construídas ao longo da história social, no contato com outros homens e com suas produções culturais, pois os instrumentos e signos definirão quais as possibilidades de funcionamento cerebral que serão concretizadas e mobilizadas na realização de diferentes tarefas.

Nas memórias do livro *Infância*, é possível identificar a relação que o narrador estabeleceu com instrumentos culturais privilegiados na formação de suas funções psicológicas superiores. Entre eles, destaco os livros, pois o contato com a literatura e a produção textual despertaram as mais diferenciadas habilidades cognitivas no narrador: estimularam seu senso estético, ético, crítico e criativo. De acordo com suas palavras, que podem corroborar minha afirmação, o narrador fala sobre os livros que o faziam percorrer diversos caminhos. Livros que lhe revelaram Joaquim Manuel de Macedo, Júlio Verne e Ponson du Terrail. Fala também dos folhetos que foram devorados na escola, debaixo das laranjeiras do quintal, nas pedras do Paraíba; em cima do caixão de velas e junto ao dicionário que tinha bandeiras e figuras.

Folhetos que foram devorados, pois seus conteúdos eram internalizados, misturavam-se aos presumidos do narrador e possibilitavam a construção de um novo enunciado. Segundo as narrativas, compreendo que o devoramento dos folhetos configurava uma relação dialógica, na qual duas consciências se encontravam: a do narrador e a do autor do texto, e, neste encontro, um outro texto era produzido, pois ler é como re-escrever o texto lido. É produzir um texto cujas palavras emergem do encontro polissêmico das palavras já ditas (BAKHTIN, 1997b). Um encontro no qual os enunciados ganhavam uma expressão singular, pois eram embebidos pela experiência do narrador, por sua subjetividade.

Como o narrador teve contato com diferentes formas de leitura, as memórias narradas me levam a observar que o ato de ler estava intimamente relacionado ao ambiente sócio-cultural do narrador, pois não são raras as rememorações que envolvem práticas de leitura em casa, na escola e no alpendre do pai. Entre elas, destaco uma das primeiras lembranças do narrador: uma escola primária da roça que visitara, em tenra idade, na qual ouvira as crianças cantarem a soletração de várias maneiras diferentes. Segundo ele: " *A sala estava cheia de gente. Um velho de barbas longas dominava uma negra mesa, e diversos meninos, em bancos sem encostos, esgoelavam-se: - Um b com um a - b, a : ba ; um b com um e - b, e: be . Assim por diante, ate u*" (RAMOS, 1980, p. 10). Uma soletração repetitiva que parece ter como principal objetivo a simples memorização dos fonemas, sem relacioná-los às palavras que fazem parte de nossa língua, às palavras que faziam parte daquele ambiente sócio-cultural.

Em outro episódio, o narrador descreve as práticas de leitura de sua mãe. Uma leitura desprovida de sentido, com uma entonação inexpressiva que parece não contar com a participação ativa da leitora, pois ela interage com o texto literário apenas decodificando as palavras que formam suas sentenças.

Sem mergulhar no texto, a mãe não o compreende e provoca no narrador a impressão de que este seria um exercício aterrorizante, penoso! Um exercício monótono e incompreensível. Segundo as palavras do narrador: " *Minha mãe lia devagar, numa toada inexpressiva, fazendo pausas absurdas, engolindo vírgulas e pontos, abolindo esdrúxulas, alongando ou encurtando as palavras. Não compreendia bem o sentido delas. E com tal prosódia e tal pontuação, os textos mais simples se obscureciam* " (Idem, p. 69).

Essas rememorações me incitam a questionar se o segundo episódio descrito pode ser compreendido como conseqüência do primeiro, na medida em que não existe um processo de leitura como produção de sentido, como interação entre o leitor, a obra e o autor (BAKHTIN, 1976), mas apenas a decodificação das palavras. Tal como os meninos se esgoelavam para soletrar sem saber o que estavam soletrando. O que soletravam? Quem soletrava? Estariam lendo? São perguntas que me saltam à imaginação na tentativa de compreender as práticas de leitura narradas no livro.

Ao continuar as narrativas de suas memórias, o narrador confessa que procurava afastar-se das rodas de leitura que eram realizadas em sua casa, pois as vizinhas soletravam o romance de quatro volumes e apreciavam gravuras, encontrando intenções em suas disposições. Elas soletravam o texto literário, talvez porque essa tenha sido a única forma que lhes fora ensinada de leitura. A única forma vivenciada de leitura.

Em outro episódio, o narrador já se remete à sua própria experiência como leitor na escola. Segundo ele:

> Eu não lia direito, mas arfando penosamente, conseguia mastigar os conceitos sisudos: 'A preguiça é a chave da pobreza - Quem não ouve conselhos raras vezes acerta - Fala pouco e bem: ter-te-ão por

> alguém'. Esse Terteão para mim era um homem, e não pude saber o que fazia ele na página final da carta (RAMOS, 1980, p. 109).

O narrador perguntou, então, à sua irmã mais velha - Mocinha - quem era Terteão. E de forma nada surpreendente, ela confessou não conhecê-lo. Disse Mocinha: - Terteão?! Quem era Terteão? Assim, o narrador confessa ter ficado triste e aguardando novas decepções. Em suas palavras: " *As amolações da carta não me saíam do pensamento. 'Fala pouco e bem ter-te-ão por alguém'. Não me explicaram isso e vieram grande enjôo às adivinhações e aforismos*" (Idem, p. 11). Não lhe explicaram quem era Terteão. Não lhe proporcionaram uma leitura como produção de sentidos, como compreensão do texto e como uma cadeia dialógica, na qual as palavras do autor do livro deveriam se agrupar às palavras e aos presumidos do leitor.

Mais do que saber quem era Terteão, o narrador precisava ler o texto e mergulhar nas histórias contadas, precisava compreender porque o homem estava no final da carta, porque falar pouco e bem. Enfim, precisava ler o texto e rescrevê-lo com suas contra-palavras.

E assim, o livro apresenta uma multiplicidade de práticas de leitura que foram bastante representativas da infância narrada por constituir aspectos de sua subjetividade, a partir da interação com outros leitores, folhetins e periódicos. No entanto, essa formação esteve permeada pelas mais diferenciadas experiências com a leitura. Experiências prazerosas e detestáveis. Experiências que apresentaram a leitura como uma "arma terrível" e como a "provisão dos sonhos"[12] : duas categorias que serão interpretadas a seguir.

12 - Apropriei-me das categorias arma e sonho utilizadas, inicialmente, por Kramer (1998) para caracterizar as práticas de leitura e escrita na escola e na formação de professores. A autora parece ter chegado a essas categorizações da leitura, a partir da análise de um relato de entrevista de uma professora primária que afirmou ser a função da leitura e escrita uma arma. De acordo com a professora Ana Lúcia: " Na primeira reunião do ano, pedi aos pais para conversarem com as crianças de adulto para adulto sobre a importância de aprender a ler e escrever .... Eu expliquei que amanhã, quando as crianças forem trabalhar, vão precisar assinar um contrato, ter carteira de trabalho, conhecer seus direitos. E como vão fazer isso se não souberem ler e escrever? Também digo que o patrão não quer pagar nem salário mínimo para empregado analfabeto, e vou mostrando que pobre tem que saber ler e escrever para não ser explorado. Para o pobre, ler e escrever é uma arma fundamental"

4.2.1. As armas terríveis

Foi por esse tempo que me infligiram Camões, no manuscrito. Sim senhor: Camões, em medonhos caracteres borrados - e manuscritos. Aos sete anos, no interior do nordeste, ignorante da minha língua, fui compelido a adivinhar, em língua estranha, as filhas do Mondego, a linda Inês, as armas e os barões assinalados. (...) Deus me perdoe. Abominei Camões.

Graciliano Ramos

As memórias narradas apresentam a função social que a leitura teve na infância do narrador. Uma leitura utilitarista, ensinada como uma arma terrível na luta pela árida sobrevivência no interior do nordeste. Uma leitura como instrumento de luta pela ascensão social, pois os homens leitores eram reconhecidos como os sabedores, como os padrões a serem seguidos pelas crianças da vila. Enfim, uma leitura que estava fundamentada numa concepção de linguagem própria da gramáti-

(KRAMER, 1998, p. 120).

Desta forma, de acordo com os relatos das professoras que participaram de sua pesquisa, Kramer (1998) categoriza a leitura e a escrita como uma arma na "luta inglória pela sobrevivência e (será) como caminho para ascensão numa sociedade tão desigual, competitiva e autoritária como a nossa" (1998, p. 120).

Em contrapartida a mesma professora primária - Ana Lúcia - reconhece a necessidade das crianças pertencentes às classes populares terem o direito de sonhar, e confessa: " Eu faço questão de contar a história de Alice no país das Maravilhas no final do ano. Crianças de favela não têm o direito de sonhar?" (Idem, p. 122).

Assim, Kramer (1998) se utiliza dos expressivos relatos das professoras e acentua que " além da dureza metálica da arma, existe a suave maciez poética do sonho" (p. 122). Nessa linguagem figurada e cheia de sentidos, é possível compreender a importância das práticas de leitura e escrita como arma e sonho, como possibilidade de informação e formação do sujeito. Como uma formação que não objetiva apenas elementos conceituais, técnicos e instrumentais que preparam para o mundo do trabalho, mas uma leitura que possibilite o sonho e a criação de novas condições de vida e novos conhecimentos sobre a vida.

No livro Infância, também é marcante a concepção da leitura como uma "arma terrível", pois o pai do narrador assim a compreende e utiliza. Entretanto, como esse capítulo vai mostrar, o sentido da leitura como uma "arma terrível" logo é suplantado pelo sentido da "provisão dos sonhos", pois o narrador a percebe como uma possibilidade de informação, diversão e formação através da experiência.

ca normativa, pois as palavras eram, maniqueisticamente, divididas em certas e erradas.

O livro *Infância* retrata a língua como um monumento: pronta, fixa e externa ao sujeito. Tinha como objetivo sujeitá-los a ela e era identificada por um padrão rígido de normas gramaticais.

Essa concepção de linguagem que é retratada nas práticas de leitura do início do século XX pode ser compreendida como uma herança do modelo pedagógico criado pelos padres Jesuítas no século XVI. Em suas missões evangelizadoras e escolarizadoras, os missionários da Companhia de Jesus tinham como um dos seus objetivos construir uma identidade cultural na colônia portuguesa, a partir da imposição de uma língua única aos índios e gentios que aqui viviam.

Faraco (1996b) considera que as raízes dessa concepção de ensino da língua como uma norma ainda permanecem hegemônicas nas práticas de linguagem escolar, pois, tal como a estrutura de ensino apresentada no período colonial, a educação brasileira está assentada sob os pilares da exclusão social. A linguagem escolar vem sendo um instrumento de práticas sociais antidemocráticas, pois é veiculada a partir de uma norma culta que não faz parte do meio sócio-cultural das classes populares. Não contempla os diferentes gêneros discursivos presentes no seu cotidiano e diferenças lig:üísticas. Não propicia uma identificação entre as transformações socioculturais que perpassam pela formação dessas crianças e pelas práticas de linguagem que são trabalhadas na escola.

Ao adotar um padrão rígido de normatividade, a linguagem pode ser considerada um dos principais motivos de evasão e repetência escolar na atualidade, pois as crianças que não conseguem se enquadrar nos pré-requisitos lingüísticos trabalhados não podem prosseguir nos estudos. Essas crianças são retidas, principalmente, na primeira série do ensino fundamental e apresentam uma relação com a linguagem que prioriza a forma em detrimento do conteúdo e do estilo da leitura e da escrita.

Kramer (1998) apontou que a prática de leitura como arma desconsidera o contexto sócio-cultural do leitor e suas situações reais de vida. A leitura como arma é uma prática social que reduz e simplifica as complexas potencialidades da leitura de textos, na medida em que apresenta como principal objetivo a instrumentalização das classes populares na luta contra o processo de exploração e dominação econômica a que são submetidos cotidianamente.

A leitura é uma prática de linguagem que informa e constitui o sujeito. Portanto, as práticas de leitura como arma, que são narradas no livro, oferecem uma série de elementos de significação para a constituição da subjetividade do narrador. Num episódio marcante, ele nos fala sobre sua primeira experiência com a leitura. Estava na companhia do pai, examinando os objetos do alpendre e indagando sobre seus préstimos. Demorou sua atenção sobre alguns folhetos de capa enfeitada por três faixas verticais, semelhantes às faixas dos jornais e dos livros. Segundo ele:

> Tive a infeliz idéia de abrir um desses folhetos, percorri as páginas amarelas, de papel ordinário. Meu pai tentou avivar-me a curiosidade valorizando com energia as linhas mal impressas, falhadas, antipáticas. Afirmou que as pessoas familiarizadas com elas dispunham de armas terríveis. Isso me pareceu absurdo: os traços insignificantes não tinham feição perigosa de armas. Ouvi os louvores, incrédulo (RAMOS, 1980, p. 104).

O pai perguntou ao narrador se ele desejava se inteirar daquelas maravilhas escritas. O narrador respondeu negativamente, pois não se sentia propenso a adivinhar os sinais pretos do papel amarelo. No entanto, diante da possibilidade de escolher, o narrador deixou-se persuadir pelo pai. Esperou que o conhecimento dos garranchos no papel lhe desse as qualidades necessárias para livrar-se dos deveres e dos castigos a que era submetido. Decidiu. A aprendizagem começou ali mesmo com a indicação de cinco letras já conhecidas. No dia seguinte vieram outras e depois, mais outras.

E assim, o narrador confessa que foi iniciada uma escravidão, imposta ardilosamente. Segundo ele:

> meu pai não tinha vocação para o ensino, mas quis meter-me o alfabeto na cabeça. Resisti, ele teimou - e o resultado foi um desastre. Cedo revelou impaciência e assustou-me. Atirava rápido meia dúzia de letras, ia jogar solo. À tarde pegava um côvado[13] , levava-me para a sala de visitas - e a lição era tempestuosa. Se não visse o côvado; eu ainda poderia dizer qualquer coisa. Vendo-o calava-me (Idem, p. 106).

O narrador padeceu maus momentos na aprendizagem da leitura como um código lingüístico a ser decifrado, adivinhado. A leitura das palavras não parecia ser uma prática de linguagem que envolvesse diferentes vozes, não parecia fazer parte da leitura do mundo, pois o narrador não estabelecia uma relação entre os conteúdos lidos e suas experiências cotidianas. Não compreendia Camões e os barões assinalados que compunham suas histórias, pois suas linguagens não lhe eram acessíveis.

Bakhtin (1997b) ressalta que a compreensão de um enunciado pressupõe a alternância de sujeitos falantes: ora o texto fornece os enunciados que compõem o enredo do romance, a estrutura psicológica dos personagens e os diálogos travados entre eles. Em contrapartida, o leitor deve conferir sua réplica: uma resposta ao texto que será concretizada nas contra-palavras que emergirão sobre o tema abordado. Dessa forma, o autor me permite compreender que a leitura é um processo ativo e criativo que envolve os sujeitos e seus textos.

O narrador não compreendia o sentido do penoso exercício e confessa: " *De fato, eu compreendia, ronceiro, as histórias de Trancoso. Eram fáceis. O que me obrigavam a decorar parecia-me insensato*" (Idem, p. 106). A leitura como prática de memorização, como cópia de caracteres sonoros, sem vida e desprovidos de significados lhe provocava dissabores, pois ele não se compreendia como autor daquelas sentenças lidas, não estabelecia uma relação dialógica com aqueles enunciados.

E quando o narrador conseguiu se familiarizar com quase todas as

13 - De acordo com o livro o côvado era: "Um pedaço de madeira, negro, pesado, da largura de quatro dedos" (RAMOS, 1980, p. 106).

letras, lhe exibiram outras vinte e cinco, diferentes das primeiras e com os mesmos nomes delas. Em suas palavras: "*Jogaram-me simultaneamente maldades grandes e pequenas, impressas e manuscritas. Um inferno*" (Idem, p. 107). "*Atordoamento, preguiça, desespero, vontade de acabar-me. Veio o terceiro alfabeto, veio o quarto e a confusão se estabeleceu, um horror de quiproquós*" (Idem, p. 107).

Sozinho, o narrador não se embaraçava, mas na presença do pai - o mediador dessa aquisição de conhecimentos - o narrador emudecia e, por conseguinte, o côvado lhe batia nas mãos. " *As pobres mãos inchavam, as palmas vermelhas, arroxeadas, os dedos grossos mal se movendo. Latejavam como se funcionassem relógios dentro delas*" (Idem, p. 107). E nesta cena, os últimos vestígios de consciência do narrador eram destruídos, pois ele não se percebia como um sujeito com voz, capaz de ler e compreender o texto. Percebia-se aniquilado.

Com suas narrativas, foi possível observar que a leitura, como arma, abrigou uma multiplicidade de sentidos em sua vivência. Uma arma terrível que batia em suas mãos e produzia os mais desesperadores sentimentos, pois se sentia incapaz de ler, despotencializado e embrutecido.

Na escola, as práticas de leitura tinham a mesma função social de arma terrível. Soletrações, ditados e histórias contadas numa língua estranha faziam parte do cotidiano escolar do narrador, pois a linguagem que era privilegiada não era a mesma linguagem que o narrador utilizava para se comunicar e compreender seu ambiente sócio-cultural. Dessa forma, é possível perceber uma cisão entre a 'linguagem de casa' e a 'linguagem da escola', na medida em que a última se apresentava como um sistema abstrato de normas e, por conseguinte, não propiciava a interlocução entre o receptor e o locutor (KRAMER, 1998).

O narrador não conseguia compreender os textos lidos na escola, pois não era possível apreciar o contexto da história. Não era possível mergulhar em suas enunciações, pois o narrador não encontrava os não-ditos que são tão necessários à compreensão da obra literária.

Num episódio, ele fala sobre o livro do Barão de Macaúbas. Livro de grossos volumes escuros, encadernados severamente. Livro de folhas delgadas e letras miúdas que perseguiram sua infância no objetivo de não fracassar nessa leitura. Livro que contava a história de um menino que transgredia o caminho da escola para conversar com passarinhos. Em suas palavras que reproduziam os diálogos do livro, o narrador registra a história: " - *Passarinho, queres tu brincar comigo? Forma de perguntar esquisita, pensei. E o animalejo, atarefado na construção de um ninho, exprimia-se de maneira ainda mais confusa* (Idem, p. 126).

Tecendo uma crítica ao gênero discursivo utilizado no livro, o narrador observa que " *infelizmente um doutor, utilizando bichinhos, impunha-nos a linguagem dos doutores. Queres tu brincar comigo? O passarinho, no galho, respondia com preceito e moral. E a mosca usava adjetivos colhidos no dicionário*" (Idem, p. 127). Ao observar, o narrador deixa explícito que havia uma linguagem padrão que deveria ser apreendida pelas crianças e, com ela, algumas formas de se relacionar com os inúmeros textos que atravessavam seu cotidiano.

Com as narrativas do livro, compreendi que esta forma de ler um texto que não contemplava a compreensão, as réplicas às enunciações, não possibilitava uma interação dialógica e trazia como não-ditos uma estratégia de formação. O que pode ser explicado a partir da contribuição de Vygotsky (1998), pois, para ele, a relação que o sujeito estabelece com os instrumentos culturais de sua sociedade produzem formas de funcionamento psicológico singulares e correspondentes ao uso do instrumento.

Inspirada nessa teoria, compreendo que essas práticas de leitura mencionadas ofereciam elementos de significação extremamente importantes para a constituição de subjetividades, não conscientes do seu poder de criação e de produção de novos sentidos. Dentro de uma sociedade patriarcal e autoritária, sociedade na qual não era permitida a discordância nem diferente leitura de um acontecimento, a língua era um instrumento de docilização dos sujeitos, de reprodução de sentidos únicos e de verdades absolutas.

Em outras palavras, essas práticas de linguagem contribuíram para formar crianças sujeitadas à língua e à sociedade. Sujeitos não conscientes de seu poder de autoria, da possibilidade de resistir e criar práticas marginais de leitura, a partir da criação de novos sentidos para a compreensão das palavras engessadas que compunham os textos lidos na escola. Esse tipo de prática de leitura não proporcionava a compreensão da possibilidade de transformação dos textos e, por conseguinte, das relações sociais.

Em suas palavras, o narrador descreve: "*Decifrados a custo os dois apólogos, encolhi-me e desanimei, incapaz de achar sentido nas páginas seguintes. Li-as soletrando e gaguejando, nauseando* (Idem, p.127). E ao final do capítulo, o narrador indaga de quem seria o defeito da incompreensão do texto lido: dele ou do Barão de Macaúbas? E conclui: "*Devia ser meu. Um homem coberto de responsabilidades (o Barão de Macaúbas) com certeza escrevia direito. Não havia desordem na composição. Só eu me atrapalhava nela*" (Idem, p. 128).

Assim, a leitura na escola corrobora a função social da arma que já era apreciada pela família e, da mesma forma, comporta uma multiplicidade de sentidos que podem caracterizá-la como uma arma da criança ou contra a criança na luta pela vida. A leitura não se apresentava como um instrumento de ascensão social, mas de reprovação, de retenção e de marginalização do aluno.

Entretanto, o sujeito apresenta uma característica fascinante de não se acomodar às circunstâncias que lhe são impostas. O sujeito, mesmo diante de situações opressivas, apresenta a capacidade de buscar saídas marginais, de refazer a história. O narrador expõe, contundentemente, essa característica ao se apresentar bastante crítico em relação às suas interações sociais, principalmente, em relação com as atividades vivenciadas de leitura. O narrador reflete sobre as práticas de leitura que lhe são infringidas e busca novas formas de relação com o texto, busca fugir das palavras comuns e procurar sentido das atividades de leitura realizadas na escola. Em suas palavras, o narrador procura compreender a leitura como a provisão dos sonhos, como os elementos que o faziam conhecer o mundo e os homens.

4.2.2 A Provisão dos sonhos.

> *Ler é como deixar-se penetrar, digamos espiritualmente, por uma substância que tem a capacidade de formar a alma.*
>
> Jorge Larrosa

Como já foi abordado anteriormente, algumas práticas de leitura vivenciadas na infância do narrador contribuíram com elementos de significação para a constituição de sua subjetividade. Contribuíram, tal como a epígrafe nos fala, para a construção do gosto pela leitura e para a formação de algumas funções psicológicas, como: a imaginação e a abstração. Essas vivências estavam caracterizadas pelo desejo da leitura e tinham como particularidade o fato de se apresentarem como experiências de formação, pois a leitura formava, deformava e transformava o narrador.

O narrador lia os textos não apenas com os seus presumidos, mas fundamentalmente com o que ele era: com sua subjetividade e sua história. Jorge Larrosa (1999) fala que a leitura como experiência está relacionada com o conhecimento e a subjetividade. Com suas palavras, compreendo que a leitura é muito mais que uma relação objetiva de decodificação dos signos lingüísticos presentes nos textos. A leitura é uma relação íntima e singular com o texto, na qual somos capazes de produzir novos sentidos para as palavras ditas e, nessa produção, estamos fornecendo, intermitentemente, novos elementos de significação para o processo de constituição de nossa subjetividade.

A leitura como experiência implica ler uma palavra tal como nunca foi lida, pois sua significação será construída no instante na leitura, a partir dos conhecimentos presumidos do leitor e de sua interação com o texto lido. Portanto, compreendo que, à medida que atribuímos novos significados para as palavras lidas, internalizamos essas contribuições e nos formamos, nos transformamos e nos deformamos. Enfim, produzimos novos sentidos para nossa formação como sujeitos.

O livro *Infância* é repleto de episódios que retratam a leitura como experiência de formação. Entre eles, destacamos quando o narrador foi convidado pelo pai a ler um romance. O narrador tinha nove anos de idade e ainda não sabia ler. De acordo com suas narrativas:

> Uma noite, depois do café, meu pai me mandou buscar um livro que deixara na cabeceira da cama. Novidade. Meu velho nunca se dirigia a mim. (...) Espantado, entrei no quarto, peguei com repugnância o antipático objeto e voltei à sala de jantar. Aí recebi a ordem para me sentar e abrir o volume. Obedeci engulhando, com vaga esperança de que uma visita me interrompesse. Ninguém nos visitou naquela noite extraordinária (RAMOS, 1980, p. 200).

O pai determinou que o narrador principiasse a leitura. E ele o fez: mastigando as palavras, gaguejando, gemendo uma cantilena medonha, indiferente à pontuação. Saltando e repisando linhas, alcançou o fim da página. Sem ouvir gritos, o narrador parou surpreendido, virou a folha e continuou a arrastar-se na gemedeira, "*como um carro na estrada cheia de buracos*" (Idem, p. 201).

O pai perguntou ao narrador se ele estava compreendendo o que lia. Diante da resposta negativa, explicou que se tratava de um romance e resumiu parte da história já lida: um casal com filhos andava numa floresta escura, em noite de inverno, perseguidos por animais selvagens. O pai traduziu diversas palavras em linguagem de cozinha, na linguagem em que o narrador se comunicava e compreendia o mundo.

Diante da possibilidade de compreensão do texto literário, pois essa foi a primeira vez que o narrador vivenciou uma experiência de leitura permeada pela compreensão da história, ele se animou a conversar. Em suas palavras: " *Alinhavei o resto do capítulo, diligenciando penetrar no sentido da prosa confusa. Aventurando-me às vezes a inquirir. E uma luzinha quase imperceptível surgia longe, apagava-se, ressurgia vacilante, nas trevas do meu espírito*" (Idem, p. 201).

A leitura do romance, um momento dialógico e polissêmico de encontro entre as consciências dos leitores e do autor criador do livro, proporcionou ao narrador a compreensão do texto, pois ele o vivenciou como sendo um diálogo travado entre suas palavras e as palavras do autor. Um diálogo cujas narrativas ganhavam significação na medida em que o narrador penetrou na corrente da comunicação verbal.

O narrador compreendeu que as palavras lidas ou pronunciadas são bem mais que elementos formadores das orações. As palavras " *são verdades ou mentiras, coisas boas ou más, importantes ou triviais, agradáveis ou desagradáveis. (...) a palavra está sempre carregada de um conteúdo ou de um sentido ideológico ou vivencial*" (BAKTHIN, 1997a , p. 95). As palavras são ricas, pois apresentam uma multiplicidade de sentidos que precisam ser desvelados no ato da leitura, no ato singular e insubstituível da leitura.

Depois desse episódio, o narrador dormiu e acordou com os personagens do romance. As horas passavam e ele se manteve alheio à escola, aos brinquedos das irmãs e à tagarelice dos moleques. De acordo com suas narrativas: " *vivi com essas criaturas de sonho, incompletas e misteriosas*" (Idem, p. 201). Incompletas, pois elas precisavam da imaginação do narrador para serem complementadas e compreendidas. Misteriosas, porque as narrativas não prosseguiram e o narrador precisava conhecer os novos episódios da história. Precisava mergulhar nas páginas do livro e percorrer a floresta escura com o casal e seus filhos perseguidos por animais selvagens.

À noite, o pai pediu novamente o volume e a cena da leitura emperrada, repleta de mal entendidos e explicações continuou. Na terceira noite, o narrador foi buscar espontaneamente o livro, mas o pai estava sombrio. Silencioso. No dia seguinte, quando o narrador se preparou para moer a narrativa, o pai afastou-o com um gesto carrancudo. De acordo com o narrador:

> Nunca experimentei decepção tão grande. Era como se tivesse descoberto uma coisa muito preciosa e de repente a maravilha se quebrasse. E o homem que a reduziu a cacos, depois de me haver ajudado a encontrá-la, não imaginou a minha desgraça. A princípio foi desespero, sensação de perda e ruína, em seguida uma longa covardia, a certeza de que as horas de encanto eram boas demais para mim e não podiam durar (Idem, p. 202).

Findada a mágoa, o narrador refletiu e concluiu que a prima Emília talvez fosse o remédio para esse mal, talvez pudesse ajudá-lo na leitura do romance tão desejado. Procurou-a e confessou-lhe seu desgosto, pedindo para que ela o ajudasse. Em suas palavras: " *Expus a minha fraqueza mental, a impossibilidade de compreender as palavras difíceis, sobretudo na ordem terrível em que se juntavam. Se eu fosse como os outros, bem; mas era bruto em demasia, todos me achavam bruto em demasia*" (Idem, p. 203).

Neste momento, como uma réplica às enunciações do narrador, a prima Emília lhe falou sobre os astrônomos: indivíduos que liam as estrelas do céu. E prosseguindo a cadeia dialógica, na qual os sujeitos constroem conhecimentos e os elementos constituintes de sua subjetividade, o narrador questiona: se os astrônomos enxergam coisas tão distantes, porque ele não conseguiria adivinhar a página aberta diante dos seus olhos?

A comparação com a leitura realizada pelos astrônomos fez o narrador tomar coragem e ir esconder-se no quintal com "*os lobos, o homem, a mulher, os pequenos, a tempestade na floresta, a cabana do lenhador*" (Idem, p. 203). O narrador releu as partes da história já percorridas e " *as partes que se esclareciam derramavam escassa luz sobre os pontos obscuros. Personagens diminutas cresciam, vagarosamente me penetravam a inteligência espessa*" (Idem, p. 203).

Inicialmente, ao convidar o narrador para a leitura do antipático objeto, que foi pego com repugnância, o pai lhe proporcionou um encontro até então desconhecido: o encontro com a significação das palavras lidas. Ao perguntar ao narrador se ele estava compreendendo a história e ao resumi-la, o pai proporciona uma leitura diferenciada do texto: uma leitura que não era adivinhada em soletrações, mas que poderia ser compreendida. Imaginada. Por conseguinte, o pai apresentou o livro como uma possibilidade de aventura, diversão, conhecimento. Enfim, como experiência para a constituição do narrador através da leitura. O livro abria as portas da imaginação do narrador e o levava para conhecer muitos lugares permeados por outros personagens.

Neste episódio, compreendi que o livro recebeu um outro sentido para o narrador; deixou de ser o antipático objeto pego com repugnância, para ser percebido como um instrumento cultural que fornecia a provisão dos sonhos. E foi justamente essa possibilidade de compreensão do texto literário o que encantou o narrador e o impulsionou a desejar continuar a leitura do romance.

Dessa forma, é possível afirmar que o pai apresentou uma importância singular na construção do gosto da leitura pelo narrador, ao lhe proporcionar o contato com uma leitura que não era apenas a decodificação de um texto, mas com a produção de sentidos. Em outras palavras, o pai, que tinha iniciado a prática de leitura do narrador como uma "arma terrível", se rende à possibilidade de concebê-la como um sonho possível, como uma diversão para o final do dia.

Posteriormente, num dos episódios mais emocionantes do livro, a prima Emília estabelece uma zona de desenvolvimento proximal (VYGOTSKY, 1998a) com o narrador ao informá-lo sobre os astrônomos e a leitura que faziam do céu. O uso da linguagem metafórica para explicitar a leitura das estrelas do céu como uma prática repleta de significações, corroborou ao narrador a compreensão do que seria a leitura como uma experiência de produção de sentido.

Assim, ele descobre, nas práticas de leitura, uma possibilidade de realização pessoal através da linguagem, pois, naquele momento, não existiriam os gritos do pai, a incompreensão da mãe, o exercício enfadonho de soletração proposto pelos professores. Existiam ele e o livro, numa interação dialógica que enchia o narrador de coragem, pois sentia-se livre para ler e compreender o texto. Dessa forma, a leitura, como a provisão de sonhos, passa a ser uma arma terrível que o narrador encontra para se defender do ambiente inóspito, das relações arbitrárias e da educação sem sentido. Pela primeira vez em toda a história narrada, o narrador sentia-se livre através da prática da leitura.

A partir desse episódio, as narrativas do livro *Infância* retratam vários momentos nos quais o narrador se encontra envolvido com as atividades de leitura como experiência. No entanto, a paixão pela leitura esbarrou numa dificuldade que durou meses: Onde conseguir livros? Com quem consegui-los? O narrador não queria continuar a ler os folhetos escolares, nem podia comprá-los, pois os preços eram altos. O narrador precisava imaginar os livros. De acordo com ele: "*Eu precisava ler, não os compêndios escolares, insossos, mas aventuras, justiça, amor, vinganças, coisas até então desconhecidas. Em falta disso, agarrava-me a jornais e almanaques, decifrava as efemérides e anedotas das folhinhas. Esses retalhos me excitavam o desejo, que se ia transformando em idéia fixa*" (Idem, p. 220).

Mais uma vez, a companheira nas aventuras da leitura - prima Emília - contou os prováveis possuidores de bibliotecas da vila em que moravam, mas todos eram sisudos e o narrador não se arriscaria em chateá-los. Entretanto, havia Jerônimo Barreto, um tabelião possuidor de respeitável biblioteca sobre os assuntos mais variados. O narrador conta passar pela janela da casa de Jerônimo Barreto e apreciar, com olhos famintos, seus livros encadernados com cores vivas. Mas como consegui-los emprestados? O narrador temia que o tabelião não deixasse mãos bisonhas manchá-los de suor.

Um certo dia, saiu de casa num desânimo enorme, pois desejava pedir os livros emprestados, mas não sabia como se entenderia com um homem tão culto. No entanto, numa inexplicável desaparição de timidez, procurou o tabelião, expressou-se claro e exibiu os gadanhos[14] limpos. De acordo com o narrador: "*assegurei que não dobraria as folhas, não as estragaria com saliva*" (Idem, p. 222). Comovido, Jerônimo Barreto abriu a estante e, sorrindo, entregou ao narrador um exemplar de *O Guarani*. Convidou-o a voltar, oferecendo toda a coleção.

O narrador não hesitou em aceitar o convite e confessa: " *Em poucos meses li a biblioteca de Jerônimo Barreto. Mudei hábitos de linguagem. Minha mãe notou as modificações com impaciência*" (Idem, pp. 225-226). A leitura como experiência passou a fazer parte da vida do narrador e introduziu vários elementos de significação para a sua formação como sujeito. A leitura dos livros permitiu ao narrador viajar bastante, conhecer condessas, salteadores, mosqueteiros, brigas, diligências para os caminhos da França, Zola, Victor Hugo e Robespierre.

Larrosa nos fala que a leitura como experiência é "*não deixar que as palavras se solidifiquem e nos solidifiquem, é manter aberto o espaço*

14 - Os gadanhos podem ser considerados os dedos das mãos ou as próprias unhas.

líquido da metamorfose" (p. 60). A leitura como experiência é aquela que transforma a pessoa e sua subjetividade. E para tanto, é necessário que o sujeito leitor se coloque em movimento, saia sempre para além de si mesmo e trave um combate entre as palavras ditas e as palavras não ditas, pois esse movimento permitirá que o sujeito crie um outro modo de leitura, um outro modo de ser.

Em outro episódio, o narrador fala sobre a leitura marginal que realizava na escola. "*Surdo às explicações do mestre, alheio aos remoques dos garotos*" (Idem, p. 224), o narrador encontrava nos livros um refúgio para as atividades sem sentido que eram propostas pelos educadores. Segundo ele:

> embrenhava-me na leitura do precioso fascículo, escondido entre as folhas de um atlas. Às vezes, procurava na carta os lugares que o ladrão terrível percorrera. E o mapa crescia, povoava-se, riscava-se de estradas por onde rodavam cabeças e diligências. Conheci desse jeito várias cidades, vivi nelas, enquanto os pequenos em redor se esgoelavam, num barulho de feira (Idem, p. 224).

O narrador fazia da leitura dos romances um aprendizado real, uma prática de pesquisa na qual organizava vários conhecimentos escolares e não escolares. Do romance à carta, da carta ao atlas e, deles, ao narrador. Ao contrário do cotidiano de seus companheiros, que se esgoelavam nas memorizações e soletrações, seu cotidiano escolar era rico em personagens e informações. Sobre isso, o narrador nos conta: " *Os meus novos amigos guardavam maquinalmente façanhas portuguesas, francesas e holandesas, regras de sintaxe - e brilhavam nas sabatinas. Na segunda-feira estavam esquecidas, e no fim de semana precisavam repetir o exercício, decorar, provisoriamente, toda a matéria*" (Idem, p. 224).

A leitura como experiência e produção de sentidos diferenciava as atividades escolares realizadas entre o narrador e os demais meninos. De acordo com ele: " *Eu achava estupidez pretenderem obrigar-me a papaguear de oitiva. Desonestidade falar de semelhante maneira, fingindo sabedoria*" (Idem, pp. 224-225). Considerava desonestidade, pois tinha acesso a outras formas de conhecimento que estavam baseadas em práticas de linguagem relacionadas com sua vivência e com a possibilidade de autoria. Conhecia práticas de linguagem nas quais ele considerava a leitura como uma arma. Não apenas uma arma terrível na luta contra as adversidades da vida agreste, mas uma arma que possibilitava a capacidade de imaginar, sonhar e construir conhecimentos a partir da literatura.

Emocionantemente, o narrador fala sobre um episódio no qual os alunos foram submetidos a um exame imprevisto. Encrencaram quando foram falar sobre os rios e as capitais. O narrador tinha alguns conhecimento deles, informações que lhe chegavam aos pedaços ao ler os romances. Segundo ele:

> Mencionei o bosque de Bolonha, Versalhes, o Sena, a torre de Londres, o bosque de Veneza, o Reno, e o Tibre, o porto de Marselha. Não era exatamente o que desejavam. Em todo caso fui ouvido. Certas interrupções me avivam a eloqüência. O Mediterrâneo? Perfeitamente, a Córsega, terra de Napoleão. Da poeira de Ajácio ao trono de São Luís. Jerônimo Barreto me falara da poeira e no trono - e isso não apresentava dificuldade: Ajácio estava ali no mapa, S. Luís tinha sido rei da França, Napoleão se estrepara na campanha da Rússia, logo nas primeiras páginas do Rocambole. Num desconchavo, referi-me à catedral de Notre-Dame e ao Vesúvio familiarmente, como se os tivesse visto. Além disso, arrolei plantas e animais exóticos: carvalhos e pinheiros, vinhedos e trigais, lobos e javalis, melros e rouxinóis (RAMOS, 1980, p. 225).

Após a explanação, que o narrador realizou na sala de aula, confessa que seus conhecimentos originaram certa desconfiança e até desdém em alguns colegas. Seus conhecimentos eram bastante diferenciados dos demais meninos que freqüentavam a escola, pois o contato com a linguagem literária produziu novas formas de inteligência no narrador: um conhecimento relacional, vivo e dinâmico. Um conhecimento capaz de articular os assuntos dos romances com as informações fragmentadas que recebera nas aulas. Suas palavras corroboram a minha compreensão: " *Descurei as obrigações da escola e os deveres que me impunham na loja. Algumas disciplinas, porém, me ajudavam a compreensão do romance e tolerei-as - bocejei e cochilei buscando penetrá-las*" (Idem, p. 225).

Neste sentido, um aspecto que merece ser observado no episódio narrado é o fato do narrador utilizar a imaginação para construir conhecimentos sobre o mundo. De acordo com Vygotsky (1987), a imaginação está apoiada sobre fatos da realidade e é vista como um meio de ampliar as experiências do sujeito, pois, ao imaginar, ele pode ampliar os domínios de seus conhecimentos, pode compreender experiências históricas e sociais. Portanto, ao ler aventuras, diários e romances, o narrador pode imaginar paisagens, personagens, conteúdos históricos e geográficos que ilustraram as aulas de geografia com vivacidade, sentido e coerência.

A leitura como experiência desempenhou um importante papel na constituição do narrador, pois ele encontrava, nas histórias dos livros, os elementos de significação que reconfiguravam sua trama subjetiva. A prática da leitura como experiência possibilitava ao narrador a vivência de um permanente devir, de um permanente inacabamento, de uma permanente construção de sentidos para as palavras do texto e para a sua existência.

Em suas narrativas, o narrador confessa ter mudado os hábitos de linguagem e, com eles, sou levada a concluir que mudou também sua relação com os conhecimentos e os homens. Uma conclusão que está fundamentada nas contribuições de Bakhtin sobre a relação entre pensamento e linguagem na formação da subjetividade (JOBIM E SOUZA, 1994).

De acordo com Bakhtin, não é possível existir atividade mental sem expressão semiótica, pois as capacidades psicológicas do sujeito são formadas a partir das relações de intersubjetividade que ele estabelece ao longo da vida. É a expressão semiótica que organiza a atividade mental, o pensamento do sujeito. É no contato dialógico com as palavras que formam os signos ideológicos de nossa sociedade que o sujeito constitui seu psiquismo. Portanto, foi no contato com as práticas de leitura como experiência, que o narrador construiu novas formas de pensamento, de construção do conhecimento e de relação com a realidade.

Os textos lidos pelo narrador ofereceram o material semiótico para a sua formação e transformação através das práticas de leitura dialógicas e polissêmicas.

4.3) O auto-retrato do narrador

No íntimo achava-me fraco. Tinham-me dado esta convicção e era difícil vencer o acanhamento.
Graciliano Ramos

Com a interpretação das narrativas foi possível perceber a contribuição que as pessoas, com as quais o narrador se relacionava, tiveram em sua formação. Reportando-me às palavras de Bakhtin (1997b), compreendo que o acabamento do sujeito é dado a partir das interações sociais, dos elementos de significação que foram construídos dialogicamente nas inúmeras relações vividas.

É através do outro que o sujeito dá forma e sentido à sua consciência, pois apenas o outro pode fazer o sujeito vivenciar sua finitude, sua materialidade empírica e seus valores. Apenas o outro se oferece à visão do sujeito como um elemento constitutivo desse mundo, pois está por inteiro inserido no tempo, no espaço e no mundo dos valores. Portanto, o sujeito vivencia o outro de um modo totalmente diferente daquele que vivencia a si mesmo. De acordo com as palavras de Bakhtin (1997b), " *a cada instante, vivo distintamente todas as fronteiras do outro, posso captá-lo por inteiro com a visão e o tato; vejo o traçado que lhe delimita a cabeça, o corpo contra o fundo do mundo exterior*" (p. 55).

Entretanto, não é possível, ao próprio sujeito, estabelecer essa relação com sua materialidade física, temporal e valorativa, pois, a forma como se vivencia é diferente da forma como vivencia os outros, na medida em que não consegue se perceber por inteiro no tempo, no espaço e nos valores.

Bakhtin (1997b) elege as categorias: *os outros para mim, o eu para os outros e o eu para mim* como as três categorias constitutivas da subje-

15 - Essa categoria foi trabalhada nos itens anteriores: o narrador e os outros e o narrador e os livros.

tividade dentro de uma forma de pensamento denominada por ele de Antropologia Filosófica. As três categorias representam o permanente processo de formação que caracteriza os sujeitos e as diferentes representações existentes entre os modos de vivenciar e conhecer o *eu* e o *outro*.

Dessa forma, após retratar a categoria *os outros para mim*, através das relações que o narrador estabeleceu com seus pais, professores e os demais protagonistas que participaram de sua infância[15] , parto para a interpretação das representações do *eu para os outros* e, finalmente, do *eu para mim*. Assim, empreendo a construção de um auto-retrato do narrador a partir das palavras dos outros sobre ele e, por conseguinte, de suas palavras sobre si próprio, como sendo o resultado da internalização das palavras alheias sobre sua pessoa.

Considero um suposto auto-retrato na medida em que esta metáfora não abarca a idéia de permanente transformação que é inerente ao processo de constituição do sujeito. Tal como as palavras de Bakhtin (1997b), se o eu for um ser acabado e o acontecimento um ato também acabado, o sujeito não pode nem viver nem agir. Para viver, é preciso que o sujeito tenha consciência de seu inacabamento. O sujeito deve ser para si mesmo um valor ainda por vir, um valor que não coincida com a sua atualidade.

Portanto, o auto-retrato é uma material fluido e dinâmico, pois se encontra em permanente reconfiguração de suas formas, pensamentos e valores.

4.3.1 O narrador para os outros

> *Sem dúvida, o meu aspecto era desagradável, inspirava repugnância. E a gente da casa se impacientava. Minha mãe tinha a franqueza de manifestar-me viva antipatia. Dava-me dois apelidos: bezerro-encourado e cabra-cega.*
>
> Graciliano Ramos

A categoria de constituição do sujeito *o eu para os outros* é representativa dos elementos de significação da subjetividade que são provenientes dos outros, do modo como os outros viam o narrador.

No livro *Infância*, o narrador narra com riqueza de detalhes a representação que os outros tinham dele. A começar por sua família, que, em vários episódios, descreve o narrador com a teimosia de um animal, com um exagero de rudeza que o impossibilitava de aprender a ler e, principalmente, com uma completa falta de beleza e graça.

Sua família quase sempre destacava uma representação inferiorizada, que adjetivava o narrador de muitos predicados depreciativos. Entre eles, destaco o episódio em que o narrador solicita a ajuda da prima Emília para ler um romance. Segundo o narrador "*em conformidade com a opinião de minha mãe, considerava-me uma besta*" (RAMOS, 1980, p. 203). Por isso, o narrador procurou a prima para ajudá-lo na decifração do romance. Ao encontrá-la, o narrador confessa: - "*longamente lhe expus a minha fraqueza mental, a impossibilidade de compreender as palavras difíceis, sobretudo na ordem terrível em que se juntavam. Se eu fosse como os outros, bem; mas era bruto em demasia, todos me achavam bruto em demasia*" (Idem, p. 203).

Em outro episódio, o narrador conta ter proferido uma sentença singular a respeito de um certo professor negro que se apresentava limpo, de colarinho, com gravata, botinas, roupa de cassineta e óculos. O narrador conta ter estranhado essa elegância, pois não admitia tal decência em negros. O pai considerou a observação do narrador original e contou-a aos fregueses do armazém e aos parceiros do jogo de gamão. Elogiado pela primeira vez, o narrador confessa " *agora eu não sabia se efetivamente era um idiota, como ele* (o pai) *tinha afirmado*" (Idem, p. 112).

Muitos são os episódios nos quais a família se refere ao narrador com uma representação mesquinha, embrutecida e quase selvagem. Entre eles, dois merecem meu destaque por se constituírem como episódios marcantes na infância narrada: Quando a família lhe dá dois dos mais aviltantes apelidos que seriam possíveis conferir a uma criança: 'cabra-cega' e 'bezerro-encourado', e quando o narrador tem o seu paletó "cor-de-macaco" elogiado por costureiras que diziam as coisas pelo contrário.

Segundo o narrador, o

> bezerro-encourado é um intruso. Quando uma cria morre, tiram-lhe o couro, vestem com ele um órfão, que neste disfarce é amamentado. A vaca sente o cheiro do filho, engana-se e adota o animal. Devo o apodo ao meu desarranjo e feiúra, ao desengonço. Não havia roupa que me assentasse no corpo: as camisas tufavam na barriga, as mangas se encurtavam ou alongavam, o paletó se alargava nas costas, enchia-se como um balão. (...) Essa injúria, revelou muito cedo a minha condição na família: comparado ao bicho infeliz, considerou-me um pupilo enfadonho, aceito a custo (RAMOS, 1980, p.139).

Ao ouvir essa injúria, o narrador se zanga. Qual criança não se zangaria? Mas depois, apresenta uma calma reação que foi substituída por serenidade, pois, de acordo com suas palavras, " *ninguém tinha culpa do meu desalinho, daqueles modos horríveis, de cambembe*". E procurando a explicação para tais adjetivos, o narrador conclui: "*Censurando-me a inferioridade, talvez quisessem me corrigir*" (Idem, p. 139).

O narrador explica o motivo do outro apelido como sendo resultante de uma doença da infância, um tipo de oftalmia que, segundo suas narrativas, " *Torturava-me semanas e semanas, eu vivia na treva, o rosto oculto num pano, tropeçando nos móveis, guiando-me às apalpadelas, ao longo das paredes. As pálpebras inflamadas colavam-se*" (Idem, p. 138).

Ao descrever a patologia, o narrador relata alguns tipos de ajuda que sua família lhe dedicava nos momentos da doença: uma compressa de clara de ovo, um curativo. Por outro lado, enfatiza o escárnio e a chateação de ter que ouvir apelidos tão grosseiros.

Algumas narrativas realizam o exercício da alteridade, ao examinar a relação e as oposições criadas entre o narrador e os outros. Nessas narrativas, é possível compreender que a relação e as palavras da família sobre o narrador fizeram com que ele fosse constituindo uma auto-imagem frágil e encolhida. De acordo com suas palavras que podem corroborar minha percepção, o narrador fala:

> achava-me inferior aos Mota Lima, nossos vizinhos, muito inferior, construído de maneira diversa. Esses garotos felizes eram para mim perfeitos: andavam limpos, riam alto, freqüentavam escola decente e possuíam máquinas que rodavam na calçada como trens. Eu vestia roupas ordinárias, usava tamancos, enlameava-me no quintal, engenhando bonecos de barro, falava pouco (Idem, p. 199).

No segundo episódio, o narrador relata a visita feita às moças que tinham o hábito de afirmar as coisas pelo contrário. Eram costureiras e o narrador notou algo de especial quando elas elogiaram a qualidade do seu paletó "cor-de-macaco". Segundo ele:

> Examinavam-no sérias, achavam o pano e os aviamentos de qualidade superior, o feitio admirável. Envaideci-me: nunca havia reparado em tais vantagens. Mas os gabos se prolongaram, trouxeram-me desconfiança. Percebi então que elas zombavam, e não me suscetibilizei. Longe disso, achei curiosa aquela maneira de falar pelo avesso, diferente das grosserias que me habituava. Em geral me diziam com franqueza que a roupa não me assentava no corpo, sobrava nos sovacos (Idem, p.198).

Pela primeira vez, o narrador conta ter rido de si mesmo, diante da doçura picante com que as moças falaram sobre ele, da doçura sarcástica com que falaram do seu paletó "cor-de-macaco". Segundo ele: "*Satisfazia-me a idéia de que minha figura não provocara inevitavelmente irritação ou desdém* (Idem, p. 198). Acostumado a ser apelidado grosseiramente, rejeitado pela família e desprezado pela mãe, o narrador achou graça nesse novo tipo de tratamento.

E nesta dinâmica de falar as coisas pelo contrário, o narrador imaginou como seria se a natureza e o alfaiate tivessem lhe dado os recursos indispensáveis para a vida: a beleza das formas, a organização para falar bem e a inteligência para aprender. No entanto, o que o narrador percebia em si mesmo, a partir das palavras dos outros, era um desengonço e uma inabilidade profundos. Julgava-se "*débil e ignorante, incapaz de conversa ou defesa*" (Idem, p. 32).

Assim, o narrador conta ter conservado essa lição pelo resto de sua vida. De acordo com ele: " *Conformado, avaliei o forro, as dobras, os pospontos das minhas ações cor-de-macaco. (...) Ainda hoje, se fingem tolerar-me um romance, observo-lhe cuidadoso as mangas, as costuras, e vejo-o como ele realmente é: chinfrim e cor-de-macaco*" (Idem, p. 198).

A relação que o narrador estabeleceu com sua família e os elementos de significação que foram construídos nesses encontros, me permitem compreender que se trata de um exemplo de exotopia nas relações humanas (BAKHTIN, 1997b), pois há duas consciências que se encontram nas relações sociais. E são justamente esses encontros que vão constituindo a subjetividade do narrador.

O narrador consegue se delimitar enquanto um sujeito no tempo, no espaço e nos valores, somente na relação que estabelece com os outros: no contato com suas palavras impregnadas de juízos de valores e na percepção de sua auto-imagem e sua temporalidade que apenas são possíveis de serem percebidas no outro. Nesses encontros, o narrador criou sua auto-imagem a partir da representação que os outros tinham sobre ele, através das palavras dos outros sobre ele.

A exotopia é um excedente da visão do sujeito que é produzido pelo fato de uma consciência estar fora da outra, de uma consciência ver a outra como um todo acabado, pois só o outro nos completa e vê o que não podemos ver. Só o outro se oferece por inteiro à nossa visão, nossa temporalidade e aos nossos valores como elementos constitutivos desse mundo. Portanto, o sujeito vê no outro o que não é possível ver em si mesmo: o seu acabamento no tempo, no espaço e nos valores (BAKHTIN, 1997b).

Compreende-se o princípio de funcionamento do processo de exotopia como sendo os diferentes modos de relação que uma consciência estabelece com a outra. Relações que oferecem acabamento ao sujeito, na medida em que a exotopia é um tipo de percepção que não se pode ter de si mesmo. O sujeito não pode se perceber como uma unidade no espaço, no tempo e nos valores, pois esse acabamento só é assegurado através dos atos vividos pelo sujeito, no acontecimento singular de sua existência.

De acordo com Bakhtin (1997b), o eu deve tornar-se outro relativo a si mesmo, deve ver-se pelos olhos do outro e depois retornar a si, construindo seu acabamento. O eu precisa de uma posição espacial, temporal e valorativa fora dele. Precisa de alguém que lhe transcenda e lhe dê o acabamento, pois "*nossa individualidade não teria existência se o outro não a criasse*" (BAKHTIN, 1997b, p. 55).

Portanto, o que o narrador vê nas ações e palavras do outro (as moças costureiras, seu pai e sua mãe), seu excedente de visão, é precisamente o que só o outro poderia ver, quando se tratasse do narrador. Dessa forma, é possível compreender que o narrador precisou ver-se a partir dos outros: dos seus olhos e de suas palavras para compreender a si mesmo. Precisou resgatar, na memória, os episódios: paletó cor-de-macaco, os apelidos grosseiros e a oftalmia da infância para compreender a formação de alguns traços de sua subjetividade. Em outras palavras, o narrador precisou descrever a atuação de sua mãe e das moças costureiras em relação a ele, para compreender os motivos pelos quais apresenta em sua subjetividade aspectos de menos valia, vergonha e encolhimento.

Bakhtin (1997b) materializou o emprego desse conceito ao descrever a relação que o autor estabelece com o herói do seu romance como um exemplo privilegiado de exotopia, pois compreende o enunciado literário como a representação de duas consciências: a do autor e a do herói. Consciências que se encontram e se diferenciam no romance, na medida em que o autor-criador vê e sabe mais que seu herói; tem poder sobre suas ações e pensamentos, pois engloba e dá acabamento à consciência do herói.

A exotopia das relações humanas é configurada em três planos distintos: no tempo, no espaço e nos valores. Planos que são responsáveis por tornar o sujeito uma unidade a partir do que lhe é inacessível: sua própria imagem externa, sua temporalidade e sua postura emotivo-volitiva no mundo.

Em termos conceituais, cumpre observar que a exotopia, no plano espacial, é representada pelo excedente de visão do sujeito e pelo seu conhecimento sobre o outro. Um processo condicionado pelo lugar que o sujeito é o único a ocupar no mundo, pois o horizonte de percepção de duas pessoas nunca coincide: uma verá e saberá algo sobre o outro que é inacessível a ele próprio. E é justamente nessa complementaridade de visões, nesse encontro de consciências que o sujeito se constitui, pois nosso " *acabamento é dado através do olhar do outro*" (BAKHTIN, 1997b, p. 14).

O sujeito necessita do outro para se diferenciar e construir o acabamento de si próprio, pois a experiência que tem de si nunca propiciará uma visão delimitada de sua configuração externa. " *Faltam* - (lhe) *não só os meios de uma percepção efetiva, mas também as noções que permitiriam construir um horizonte onde (...) possa figurar por inteiro, sem resíduo, de modo totalmente circunscrito*" (Idem, p. 56).

No plano temporal, o sujeito também apresenta a mesma necessidade do outro para lhe conferir o acabamento, pois o nascimento e a morte não podem ser vivenciados por ele, não podem se tornar elementos de sua vida, na medida em que não apresentam um valor que lhe dê acabamento. O peso emocional da vida do sujeito não existe para ele mesmo, pois só o outro está totalmente inserido no tempo, só do outro é possível ter a noção da totalidade temporal de sua vida. Só o outro pode participar de seu nascimento e de sua morte.

E para concluir, a exotopia no plano dos valores pode ser observada, na medida em que, apenas no contato com os valores de outrem, o sujeito pode compreender sua formação ética, estética, cognitiva e religiosa. Em sua vida cotidiana, o sujeito vive os valores do outro através de sua participação na língua, nos costumes, na religião, na arte e em outras instâncias de produção cultural e reage com juízos de valor a todas as manifestações dos outros que o rodeiam.

No livro, o narrador descreve o processo de sua constituição a partir das palavras dos outros, das relações sociais vividas: " *xingado, às vezes tolerado, em raros momentos elogiado sem motivo, propriamente estúpido não era; mas tornei-me estúpido, creio que me tornei quase um idiota. Os sentidos embotaram-me o espírito opaco que tomou uma dureza de pedra completamente inerte*" (Idem p. 125).

Assim, nos encontros travados com o outro, no exercício da alteridade, o narrador construiu uma série de elementos de significação que compuseram sua subjetividade, sua auto-imagem. Entre esses fatores cumpre destacar o sentimento de inferioridade que se apresentava no narrador. Um sentimento de inferioridade que se mostrava em sua relação com os outros na família, na escola e no contato com o primeiro amor.

4.3.2. O narrador por ele mesmo

Eu era meio parvo, todos se impacientavam com minha falta de espírito. Rude, sem dúvida, vocabulário mesquinho, entendimento escasso.

Graciliano Ramos

Ao longo do livro, o narrador destaca várias narrativas em que se auto-avalia de forma depreciativa. Parvo, rude, vocabulário mesquinho, débil e ignorante são algumas das palavras que acompanham as sentenças que o narrador profere sobre si mesmo. Palavras que o narrador ouviu da boca dos outros. Palavras que formaram um auto-retrato frágil, encolhido e morno.

No capítulo final do livro, o narrador conta sua entrada na puberdade. Crescimento de pelos, desejos diferentes que conturbavam sua noite e uma súbita vergonha de expor seu corpo aos demais meninos, durante os banhos de rio. Em meio a essa intempérie hormonal, fisiológica e psicológica, o narrador conta ter conhecido Laura num exame da Instrutora Viçosense. Um professor elogiou a inteligência e o progresso da moça. O narrador concordou e foi sendo levado por uma súbita admiração que em poucos dias se transformou em amor. Amor, não, um culto.

O narrador considerava-a a mais perfeita de todas as moças e confessava retardar o passo diante da casa da moça, quando caminhava para a escola. Segundo ele: " *invesgava o olhar para as janelas, ordinariamente desertas, seguia com alívio e desânimo. Se via a pequena, acovardava-me, balbuciava um cumprimento e distanciava-me, raspando as paredes, batendo nas ombreiras das portas, sacudindo uma pilha de livros segura por dois cadarços*" (RAMOS, 1980, p. 225).

Sem conseguir dizer alto a décima parte do que sentia pela moça, o narrador andava mergulhado num devaneio. Segundo suas narrativas: "*expressava-me a custo, afligia-me buscando as palavras, baralhava os assuntos e tinha um leve defeito de pronúncia: engolia dd e tt . A voz abafada, cortada em hiatos, inaudível. O discurso que fiz na Amor e Caridade foi um desastre*" (Idem, p. 256).

Ao regressar do colégio ia assistir aos ensaios da Escola Dramática Pedro Silva. Na verdade não assistia, pois passava toda a peça atrás dos bastidores, observando uma janela que dava para o quintal de Laura. Com o passar dos dias, houve resmungos. Os atores estranharam a assiduidade do narrador e o esquisito amor ao teatro que ele revelava dando as costas à cena. O narrador não confessou seu segredo e temendo a ridicularização, afastou-se da Escola de Teatro.

Um caixeiro que percebeu o abatimento do narrador, aconselhou-o a procurar os serviços de Otília da Conceição[16] .O narrador recusou a proposta vexado, mas os horrores noturnos continuaram: as olheiras se aprofundaram e a impossibilidade de ler 'O Cortiço' de Aluísio Azevedo, com suas narrativas sobre os desejos humanos se intensificava. No entanto, o narrador sucumbiu à sua reserva: " *Otília da Conceição, à beira da cama, esperava em silêncio. Arriei sobre a mala pequena e, em silêncio também, comecei a descalçar-me. A vista se turvou, os dedos úmidos tremeram, o cordão do sapato deu um nó cego. Esforcei-me por desatá-lo: molhava-me de suor, cada vez mais se complicava. E meu desgosto era imenso*" (Idem, p. 259).

O narrador interrompe a narrativa e nos permite imaginar a cena de sua primeira noite repleta de angústia, culpa e ressentimento por não ter tido coragem de falar sobre seus sentimentos com Laura. Segundo ele, após utilizar os serviços de Otília da Conceição, seu corpo se encheu de manchas e a artrite o atacou. Passou vários dias na cama.

Nesse final de história compreendo que a rejeição familiar e o sentimento de menos valia que se apresentavam na auto-imagem que o nar-

16 - Otília da Conceição é a última personagem que aparece no livro Infância . Foi apresentada ao narrador por Constantino, um novo caixeiro.

rador construiu ao longo de sua vida não permitiram que ele se aproximasse de Laura. O rapaz não se sentia capaz de confessar seus sentimentos e aguardar uma resposta da moça. A resposta já tinha sido dada, várias vezes, ao longo de sua infância. O medo da decepção, do escárnio e da rejeição que foram tão fortes em sua meninice se apoderaram do narrador.

Decepção maior não podia ter lhe acontecido. Decepção que marcou sua vida e deixou marcas no seu corpo. Decepção de procurar os serviços profissionais de Otília da Conceição e não poder compará-la à moça que perseguia suas noites, invadindo seus sonhos e sobressaltando seus desejos.

No encontro com o primeiro amor, o narrador conservou uma autoimagem cor-de-macaco, um paletó mesquinho e curto, tal como aquele que sobrava nos sovacos. O narrador conservou a mesma atitude de inferioridade que manteve durante toda a infância, pois essa foi a relação que estabeleceu com os outros. Essa foi a relação que internalizou nos encontros com os outros e proporcionou o acabamento de sua subjetividade.

Para concluir, o narrador finaliza o livro dizendo que a figura que atrapalhava seu sono, invadindo seus sonhos e provocando alucinantes desejos, serenou e fugiu. E a nuvem colorida da infância evaporou, deixando marcas e muitas lembranças. Deixando, principalmente, um horizonte. Um amplo horizonte que imagino ser um céu claro, um cenário para novas histórias, com novas produções de significação para a constituição desse narrador e com finais mais felizes.

Capítulo 5

Carta aos Educadores

Rio de Janeiro, 12 de novembro de 2001.

Caros educadores,

É com um grande prazer que escrevo para vocês algumas contribuições que o ensaio: '*A infância pelas mãos do escritor - um ensaio sobre a formação da subjetividade na psicologia sócio-histórica*' apresenta para a nossa formação.

Como o próprio título já sugere, produzi um ensaio que retratou três processos de formação: a formação da subjetividade na infância, através da interpretação dos discursos memorialísticos do narrador do livro *Infância*, de Graciliano Ramos, e a minha formação como profissional da educação.

Imagino que vocês estejam curiosos para saber qual o terceiro tipo de formação que o ensaio abordou. Pois bem. O terceiro tipo de formação ficou implícito em todas as sentenças produzidas neste livro. É uma formação intermitente, que conta com uma ampla série de elementos conceituais, éticos e políticos, e, por que não dizer, elementos estéticos, afetivos, autobiográficos e subjetivos. É a formação do educador. A complexa e permanente formação do educador.

Considerei-a como sendo o terceiro processo de formação, pois a produção deste ensaio apresentou como principal contribuição para todas as instâncias educacionais a utilização da literatura e, especificamente, da literatura autobiográfica como um dos possíveis elementos formadores dos profissionais da educação. Portanto, a leitura do livro *Infância* e sua interpretação se constituem como ricos materiais de formação para o educador.

Assim, esta carta tem como objetivo comunicar algumas das contribuições produzidas pelo ensaio citado e, nesta interlocução, nesta perspectiva dialógica, despertar algumas reflexões sobre o processo de formação permanente dos educadores.

Mas antes de escrever sobre a formação profissional, gostaria de destacar alguns pontos sobre a formação da subjetividade na infância.

Caros educadores, por minha formação em psicologia, posso compreender que o processo de formação da subjetividade vem ganhando uma configuração caleidoscópica na atualidade (MIRANDA, 2000). O contato com os vários jogos de linguagem existentes, bem como os inúmeros artefatos culturais e tecnológicos, cada vez mais sofisticados, propiciam uma permanente reconfiguração dos elementos de significação que formam a subjetividade das crianças.

Os games, a internet, os desenhos animados e todos os artefatos culturais da atualidade vão produzindo novas formas da criança interagir com o mundo. Além deles, ainda considero pertinente destacar a velocidade com que as informações chegam até a criança e informam sobre cenas de violência, de sexo, do tênis da moda e sobre o último grupo americano que vem causando furor entre as meninas.

É um mundo em permanente transformação.

A subjetividade é constituída a partir dos agenciamentos sociais e das relações travadas com os outros e com os instrumentos culturais de nossa época, por isso compreendo-a também como um processo psicológico em permanente mudança.

Na subjetividade estão presentes os processos de socialização, de construção de hábitos, de internalização dos conteúdos aprendidos e, finalmente, de construção de novos conhecimentos; dessa forma, acredito que o professor precisa conhecê-la. Aliás, mais do que isso, acredito que o professor pode se questionar diariamente para perceber quais elementos de significação vêm inserindo no processo de constituição da subjetividade de seus alunos. O professor pode se questionar, para verificar se está introduzindo elementos de potencialização, autonomia, estímulo à pesquisa e cooperação. Ou identificar quais outros elementos está introduzindo na formação destes sujeitos.

Na interpretação que realizei do livro *Infância*, é mostrada, contundentemente, a influência dos professores na constituição do narrador, a influência na construção de algumas habilidades cognitivas, como também, no rechaço às práticas de leitura e à aprendizagem escolarizada.

Portanto, caros colegas, com a literatura pude observar que, a cada palavra proferida, estamos formando nossos alunos e produzindo características que podem ter um peso bastante importante em sua vida. Em cada encontro, em cada olhar, em cada gesto, em cada posição política assumida, estamos produzindo subjetividades. Estamos introduzindo novos elementos culturais para a sociedade na qual vivemos.

Após falar sobre a formação da subjetividade na infância, gostaria de contar um pouco sobre a minha formação profissional e pessoal, uma vez que as duas faces estão interligadas e foram abordadas no livro que acabaram de ler.

Pois bem, caros colegas, ao escrever este ensaio, e relê-lo algumas vezes, como se fosse um objeto confeccionado com a minúcia e a dedicação de um artesão, percebi que tinha escrito a história de minha vida.

As categorias selecionadas para análise, os episódios privilegiados e os principais protagonistas do livro apresentaram uma estranha coincidência com alguns episódios que marcaram minha infância. As práticas de leitura do narrador foram as minhas práticas, a relação com a autoridade foi a minha relação, a relação com a religiosidade foi a mesma relação que vivi em minha infância. Entretanto, percebo que essas coincidências diferiram quanto ao grau de ansiedade e angústia que o narrador descreveu no livro, mas foram coincidências.

Desta forma, ao analisar a relação que o narrador estabeleceu com seus pais, professores e amigos, a relação que estabeleceu com o livro e a influência que essas relações acarretaram na sua constituição, pude re-significar minhas memórias de infância e compreender porque alguns protagonistas da história da minha vida procederam de uma forma e não de outra. Em outras palavras, ao ler o livro *Infância*, provoquei vários encontros com minhas reminiscências e pude compreendê-las. Pude perdoar, aprender e re-significar fatos de minha infância com os elementos de compreensão de que dispunha no presente.

E, em se falando de minha formação profissional, que deu um salto qualitativo com a produção deste ensaio, estabeleço a ponte que desejava lançar desde o início da carta. Mas confesso que estava aguardando o momento mais oportuno.

Iniciei o texto de meu ensaio com algumas considerações de Lev Vygotsky (1999a) sobre a arte e a poesia como sendo uma forma outra de conhecimento sobre o homem. Uma forma legítima e tão importante quanto os conhecimentos científicos na compreensão dos processos psicológicos que ainda não estamos em condição de conhecer pelas vias diretas de observação, experimentação e descrição. Vygotsky nos fala que a literatura é uma forma de conhecimento indireto sobre o homem, pois é apresentada sob alegorias e metáforas. A literatura é uma forma de conhecimento que abrange uma multiplicidade de sentidos para os episódios descritos. Abrange uma multiplicidade de explicações, de verdades e de conhecimentos sobre o homem e sua produção cultural.

Pois bem. Inspirei-me nas palavras de Vygotsky para sugerir a utilização do texto literário e mais especificamente da literatura autobiográfica como um dos elementos para a complexa formação do educador.

Algumas pesquisas (CATANI, 1997; CRUZ, 1999; CUNHA, 1999, OLIVEIRA, 1999) já vêm afirmando que a reflexão sobre vários aspectos ligados aos processos educativos poderiam ser potencializados pela leitura das obras autobiográficas e de ficção, na medida que seu conhecimento funcionaria como um ponto de partida para estimular reflexões, análises e críticas sobre os temas relacionados à formação docente. Com esta contribuição das autoras, pude compreender que a multiplicidade de sentidos existentes nas obras literárias pode abrir um fecundo caminho para a leitura de outros textos, para uma abordagem teórica, conceitual e filosófica.

Catani el al. (1997) enfatizam que os textos autobiográficos ou fictícios " *favorecem um redimensionamento das experiências de formação e das trajetórias profissionais e tendem a fazer novos modos de conduzir o ensino*" (p. 18). Para as autoras, especificamente, a leitura da obra memorialística desencadeia, nos educadores, o desejo de escrever sobre si e sobre sua formação profissional. A leitura da obra memorialística provoca o encontro com as memórias que constituem o educador e, assim, pode mobilizar, intensamente, seu interesse pela discussão de vários temas relacionados à formação docente.

Corroboro a posição das autoras ao lembrar da experiência de ter levado o capítulo 'O Cinturão' do livro Infância, de Graciliano Ramos, para a reunião de supervisão pedagógica de uma instituição de educação infantil. Discutíamos sobre as relações entre o limite, a autonomia, a autoridade e o autoritarismo no desenvolvimento das crianças. Muitas teorias consolidavam nossa discussão e davam o peso acadêmico que a instituição tanto apreciava. No entanto, foi proposta uma ruptura, a leitura de uma obra literária que retratava a relação da criança com a autoridade. Com a leitura do capítulo 'O Cinturão', foi realizada uma rememoração da infância e das relações de poder que os educadores daquela instituição estabeleceram com seus pais e seus professores.

Surpreendentemente, a discussão, que já estava rica em conteúdos teóricos, passou a produzir novos sentidos para as atribuições do educador. A leitura do livro e as rememorações que foram possíveis através do encontro com as histórias daquele narrador proporcionaram a construção de novas práticas educativas. Os educadores conseguiram se colocar na perspectiva da criança e compreender a necessidade que elas apresentam de desenvolver uma relação autônoma com eles; uma relação em que seja possível a construção social das regras, a argumentação sobre elas e a certeza de que serão respeitadas tanto pelos colegas como pelos educadores.

Há mais um ponto que gostaria de destacar para vocês, caros companheiros: o fato das autoras mencionadas (CATANI, 1997; CRUZ, 1999; CUNHA, 1999, OLIVEIRA, 1999) estarem fundamentadas em pesquisadores que considero vanguardistas na concepção de formação docente. Pesquisadores como Pierre Dominicé (1988, 1990) e António Nóvoa (1988, 1992) vêm trabalhando com os métodos autobiográficos e com as histórias de vida na formação profissional e chamam a nossa atenção para a inexistência de uma teoria de formação dos adultos.

Esses autores se perguntaram como pensar a formação dos adultos fora de uma perspectiva que enfatize o desenvolvimento e o progresso. Como resposta, assinalaram que uma das dificuldades de se elaborar uma teoria de formação de adultos reside na incapacidade de conceber a formação do adulto fora dessas perspectivas, fora da idéia de progresso e desenvolvimento. Segundo os autores citados "*o adulto tem simultaneamente uma visão retrospectiva e prospectiva. Ele se encontra envolvido numa problemática presente, mas tem uma percepção e uma visão retrospectiva de sua vida que é levada em conta quando se trata dele próprio pensar o futuro*" (CATANI et al., 1997, pp. 30-31).

Neste sentido, Nóvoa nos dá uma contribuição singular ao afirmar que, na formação de professores, é preciso compreender a categoria de reflexividade crítica, pois, segundo ela, "*a formação é inevitavelmente um trabalho de reflexão sobre os percursos de vida*" (NÓVOA, 1988, p.116 apud CATANI et al., 1997, p. 31).

Como contra-palavras ao diálogo iniciado pelos pesquisadores sobre a formação de educadores, aponto as teorias de Lev Vygotsky (1998a) e Mikhail Bakhtin (1997a) sobre a constituição da subjetividade e a produção do conhecimento. Ambos os autores trabalharam com uma perspectiva social e semiótica da constituição do sujeito, enfatizando o caráter social de nossas funções psicológicas. Muitas são as contribuições de ambos para a educação, mas, no momento, gostaria de enfatizar apenas algumas categorias.

A começar por Vygotsky, que apresenta uma concepção de desenvolvimento humano bastante diferenciada de todas as correntes psicológicas que o antecederam.

Vygotsky (1998a) vai compreender o desenvolvimento humano como um processo ininterrupto durante a vida do sujeito, um processo construído a partir da interação dialética entre os fatores internos do sujeito e os fatores sócio-culturais e, principalmente, um processo que não compreende uma linearidade ou acúmulo de habilidades. O desenvolvimento humano acontece através de saltos qualitativos nas estruturas psicológicas que reorganizam toda a forma do sujeito interagir com o meio ambiente. Além disso, o desenvolvimento compreende evoluções e involuções de habilidades psicológicas, o que pode responder aos questionamentos de Nóvoa e Dominicé, na medida em que um processo de regressão também pode ser considerado de desenvolvimento.

Já Bakhtin (1997a), nos oferece, na categoria de dialogismo, a inspiração para pensar novos processos de formação profissional. De acordo com o autor, não existe o Adão bíblico, ou seja, não existe uma palavra que será dita pela primeira vez. Toda palavra pronunciada pertence ao falante, ao ouvinte e à corrente de comunicação verbal, pois os significados são construídos socialmente. O sujeito precisa da palavra do outro para que suas palavras tenham significação. O sujeito precisa penetrar na corrente da língua para compreender o mundo e ser compreendido por ele.

Dessa forma, ambos os autores me inspiram na reflexão sobre o processo de formação dos professores e me mostram uma possibilidade de dar continuidade às contribuições do presente ensaio, realizando um diálogo entre os pesquisadores que se debruçam sobre os processos de formação docente (CATANI, 1997; CRUZ, 1999; CUNHA, 1999, OLIVEIRA, 1999; DOMINICÉ, 1988, 1990 e NÓVOA, 1988, 1992) e as teorias de formação do sujeito de Lev Vygotsky e Mikhail Bakhtin.

Para terminar essa carta, gostaria apenas de dizer que os autores e suas produções teóricas me fizeram compreender que a formação do professor é um processo que pressupõe, necessariamente, a reflexão e a internalização dos conteúdos de ensino. Ao internalizar, o professor realiza uma reconstrução do conteúdo aprendido dialogicamente, realiza uma produção de sentidos que relaciona a teoria com as experiências de vida e, assim, dá um tom de autoria e de singularidade no conhecimento construído.

Além disso, os autores vanguardistas corroboraram o que Kramer (1998) já defendia no processo de formação docente: a utilização da linguagem para a produção de conhecimentos com significados, a restauração da voz do educador para que ele possa refletir sobre as teorias e relacioná-las com a prática profissional. Agora, mais do antes, tenho claro em minhas concepções que o professor não precisa de treinamento. Precisa de reflexão, de mergulhar em suas memórias de infância e compreender a perspectiva da criança que está sendo formada pela escola.

E assim, chego ao fim da carta que se prolongou e quase se transformou em um novo ensaio.

Para me despedir, gostaria de enfatizar que o ensaio escrito sobre a formação da subjetividade na infância foi uma leitura como produção de sentidos que emergiu na minha relação com as palavras do autor. Foi uma leitura dentre as várias possíveis, pois foi o encontro das palavras do autor com a minha subjetividade, com as minhas memórias de infância e com os presumidos teóricos que orientaram a minha interpretação.

Este ensaio citado foi escrito para os educadores e educadoras que trabalham com a infância. Foi escrito para meus alunos do curso de Pedagogia, que se aventuram comigo na construção de práticas dialógicas para a sala de aula. Enfim, foi escrito na intenção de que minhas palavras promovam uma cadeia dialógica na qual novas vozes se sintam incitadas a participar deste diálogo, do permanente diálogo que é a formação da subjetividade.

Este ensaio foi produzido para vocês, caros profissionais de educação, meu motivo de reflexão e minha permanente busca por um trabalho formador que lhes restaure a voz, a capacidade de pensar e de sonhar por uma educação melhor.

Cordialmente.
Taísa Vliese de Lemos

Referências Bibliográficas

ABEL, C. A dos S. *Graciliano Ramos:* cidadão e artista. Brasília: Editora da Universidade de Brasília, 1999.

ALVES-MAZZOTTI, A J. ; GEWANDSZNAJDER, F. *O método nas ciên cias naturais e sociais.* Pesquisa quantitativa e qualitativa. São Paulo: Pioneira, 1998.

AMORIM, C; CASTRO, L R. de ; JOBIM E SOUZA, S. (org.). *Infância, cinema e sociedade.* Rio de Janeiro: Ravil, 1997.

BARBOSA, M. C. S. E no trabalho educativo, onde fica a subjetividade ? In: *Educação, Subjetividade e Poder,* Porto Alegre. vol. 2, n º 2, pp. 15-17, 1995.

BRAGA, E. dos S. Vídeo, escrita, leituras, recordações: cultura e memória na sala de aula In: **GÓES, M. C. R. de. Et al.** (org.) *A sig nificação nos espaços escolares.* Interação social e subjetivação. Campinas: Papirus, 1997.

_____. O trabalho com a literatura: Memórias e histórias In: *Relações de ensino*. Análises na perspectiva histórico-cultural. Cadernos Cedes n º 50. Campinas, pp. 84-102 , 2000.

BAKTHIN, M. *Marxismo e a Filosofia da Linguagem*. São Paulo: Hucitec, 1997a.

_____. *Estética da criação verbal*. São Paulo: Martins Fontes, 1997b.

_____. *O discurso na Vida e o discurso na arte*. (Tradução: Cristóvão Tezza) 1976.

BAKHURST, D. La memória social en el pensamiento soviético In: **MID DLETON, D.** ; **EDWARDS, D** (org.) *Memoria Compartida*. La naturaleza social del recuerdo y del olvido. Espanha, 1990.

BOSI, E. *Memória e Sociedade*: Lembranças de Velhos. São Paulo: T. A Queiroz, 1994.

CÂNDIDO, A . *Ficção e confissão:* Ensaios sobre Graciliano Ramos. Rio de Janeiro: José Olympio, 1992a.

_____. *Bichos subterrâneos*. Rio de Janeiro: Editora 34, 1992b.

CATANI, D. B. et al. (org.) História, memória e autobiografia na pesquisa educacional e na formação. In: *Docência, memória e gênero*. Estudos sobre formação. São Paulo: Escrituras Editora, 1997.

CROCHIK, J. L Os desafios atuais do estudo da subjetividade na Psicologia . *Psicologia USP*, São Paulo, vol.9, n º 2, pp. 69-85, 1998.

CRUZ, M. de F. C. M. da. Professor: uma tecedura de múltiplos nós. Um estudo sócio-histórico do processo de constituição de professores. Juiz de Fora, 1999. Dissertação de Mestrado em Educação. UFJF.

CUNHA, M. D da. Subjetividade, Cotidiano e Formação de Professores. Alguns conceitos importantes para compreensão do processo de con stituição do professor. Anais do CD-Rom do IV Congresso e IV mostra de Ciências Humanas, Letras e Artes, em Viçosa, 1999.

DANTAS, H. Do ato motor ao ato mental: a gênese da inteligência segundo Wallon *In*: : **DE LA TAILLE, Y.** (org.) *Piaget, Vygotsky e Wallon* : teorias psicogenéticas em discussão. São Paulo: Summus, 1992.

DOMINICÉ, P. O processo de formação e alguns de seus componentes relacionais. In: **NÓVOA, A; FINGER, M.** (org.) *O método Autobiográfico e a formação*. Lisboa, Ministério da Saúde,

Departamento de Recursos Humanos da Saúde/Centro de Formação e Aperfeiçoamento profissional, 1988.

_____. *L'histoire de vie comme processus de formation.* Paris, Edition L'Harmattan, 1990.

EIZIRIK, M. F. Paradigmas da subjetividade contemporânea. *Educação, Subjetividade e Poder,* Porto Alegre. vol. 2, n º 2, pp.22-25, 1995.

FARACO, C. A. Linguagem, escola e modernidade In: **GHIRALDELLI, P. J.** (org.) *Infância, escola e modernidade.* Paraná: Editora UFPR/Cortez, 1996b.

FARIA, O. de. Graciliano Ramos e o sentido do Humano. In: **BRAYNER, S.** *Graciliano Ramos:* Textos de Seleção. Civilização Brasileira: Rio de Janeiro, 1977.

FELDMANN, H. *Graciliano Ramos:* Reflexos de sua personalidade em sua obra. Fortaleza: Imprensa do Ceará, 1967

FONSECA, C. Malinowiski, Mauss, Bakhtin: três autores em busca do sujeito. *Educação, Subjetividade e Poder,* Porto Alegre. vol. 2, n º 2, pp.22-25, 1995.

FREITAS, M. T. de A. *O pensamento de Vygotsky e Bakhtin no Brasil.* Campinas: Papirus, 1994.

_____. *Vygotsky e Bakhtin:* Psicologia e educação : Um intertexto. São Paulo: Ática/EDUFJF, 1995.

_____. Bakhtin e a Psicologia In: **FARACO, C. A**. *Diálogos com Bakhtin.* Curitiba: Ed. da UFPR, 1996.

_____. Nos textos de Bakhtin e Vygotsky: um encontro possível In: **BRAIT, B.** (org.) *Bakhtin, dialogismo e construção de sentido.* Campinas: Editora da UNICAMP, 1997.

_____. A memória como um fenômeno social In: **FREITAS, M. T. de A.** (org.) *Narrativas de Professores* : Pesquisando leitura e escrita numa perspectiva sócio-histórica. Rio de Janeiro: Ravil, 1998.

_____. *Estudos Qualitativos na abordagem sócio-histórica.* 2000. (mimeo).

GERALDI, W. J. *A linguagem nos processos sociais de constituição da subjetividade.* Questões para pensar a cidadania: a língua e o imaginário. (mimeo)

GUATARRI, F; ROLNICK, S. *Micropolítica* : Cartografias do desejo. Petrópolis: Vozes, 1996.

HALBWACHS, M. *Memória Coletiva.* São Paulo: Vértice, 1990.

JOBIM E SOUZA, S. *Infância e linguagem:* o encontro da ética e da estética nas Ciências Humanas. Rio de Janeiro, 1992. Tese de Doutorado em Educação. PUC/RJ.

_____. *Infância e linguagem.* Bakhtin, Vygotsky e Benjamin. Campinas: Papirus, 1994.

_____. **PEREIRA, R. M. R.** Infância, conhecimento e contemporaneidade In: **KRAMER, S. et al.** (org.) *Infância e produção cultural.* Campinas: Papirus, 1998.

_____. Tempo, memória, história dos professores. In: *Educação em Foco.* Juiz de Fora: Editora UFJF: vol. 3, n º 2, pp. 67-92, set-fev., 1998a.

_____. A estética e a Psicologia In: *Subjetividade em questão.* A infância como crítica da cultura. Rio de Janeiro: 7 Letras, 2000.

_____ et al. Ladrões de sonhos e sabonetes: sobre os modos de subje tivação da infância na cultura In: *Subjetividade em questão.* A infância como crítica da cultura. Rio de Janeiro: 7 Letras, 2000.

KRAMER, S. *Por entre as pedras* : Arma e sonho na escola. São Paulo: Ática, 1998.

KENSKI, V. M. Sobre o conceito de memória In: **FAZENDA, I.** (org.) *A pesquisa em Educação e as transformações do conhecimento.* Campinas: Papirus, 1997.

LARROSA, J. *Pedagogia Profana.* Danças, Máscara e Piruetas. Belo Horizonte, Autêntica: 1999.

LÜDKE , M; ANDRÉ, M. *Pesquisa em educação:* Abordagens qualitati vas. São Paulo: EPU, 1986.

LURIA, A. R. ; YODOVICH, F. I. *Linguagem e desenvolvimento intelec tual da criança.* Porto Alegre: Artes Médicas, 1985.

LURIA, A. R. *Pensamento e linguagem* - As últimas conferências de Luria. Porto Alegre: Artes Médicas, 1987.

MARTINS, W. Graciliano Ramos, o Cristo e o grande inquisidor. In: **BRAYNER, S.** *Graciliano Ramos* - Textos de Seleção. Civilização Brasileira: Rio de Janeiro, 1977.

MARX, E. ; ENGELS, F. *A Ideologia Alemã.* São Paulo: Livraria Ed. Ciências Humanas Ltda, 1979.

MIRANDA, L L Subjetividade: a (des)construção de um conceito *In: Subjetividade em questão.* A infância como crítica da cultura. Rio de Janeiro: 7 Letras, 2000.

MIRANDA, W. M. *Corpos Escritos:* Graciliano Ramos e Silviano Santiago. São Paulo: Edusp; Belo Horizonte: Editora da UFMG, 1992.

MIDDLETON D. ; EDWARDS, D. (org.) *Memoria Compartida* : La natu raleza social del recuerdo y del olvido. Espanha, 1990.

MORAES, D. de. *O velho Graça.* Rio de Janeiro: José Olympio Editora, 1992.

MORIN, E. A noção de sujeito In: **SCHNITMAN. D. F.** *Novos Paradigmas, Cultura e Subjetividade.* Porto Alegre: Artes Médicas, 1996.

NELLY, N. C. Solidão e luta em Graciliano In: **BRAYNER, S.** *Graciliano Ramos - Textos de Seleção.* Rio de Janeiro: Civilização Brasileira, 1977.

NÓVOA, A. A formação tem que passar por aqui: as histórias de vida no projeto Prosalus. In: **NÓVOA, A; FINGER, M.** (org.) *O método Autobiográfico e a formação.* Lisboa, Ministério da Saúde, Departamento de Recursos Humanos da Saúde/Centro de Formação e Aperfeiçoamento profissional, 1988.

_____ . Os Professores e as histórias de sua vida. In: NÓVOA, A. (org.) *Vidas de Professores.* Porto, Porto Editora, 1992.

OLIVEIRA, M. Vygotsky e o processo de formação de conceitos In: **DE LA TAILLE, Y.** (org.) *Piaget, Vygotsky e Wallon:* Teorias psicogenéticas em discussão. São Paulo: Summus, 1992.

OLIVEIRA, V. M. M. F. L A. O bezerro encourado ou as armas terríveis: uma análise de Infância de Graciliano Ramos. Rio de Janeiro, 1978. Dissertação de Mestrado. Departamento de Letras da PUC/RJ.

OLIVEIRA, B. B. O método autobiográfico e os estudos com histórias de vida de professores: subjetividade e a questão das representações. Anais do CD-rom do IV Congresso e IV mostra de Ciências Humanas, Letras e Arte, em Viçosa, 1999.

PINO, A. S. O conceito de mediação semiótica em Vygotsky e seu papel na explicação do psiquismo humano In: *Cadernos Cedes n º 24* .

Campinas: Papirus. 1991.

_____. O social e o cultural na obra de Lev S. Vygotski . *Revista Educação & Sociedade n º 71*. Ano XXI. Campinas: Cedes, pp. 45-78 , julho de 2000.

RAMOS, C. *Mestre Graciliano: confirmação humana de uma obra.* Rio de Janeiro: Civilização Brasileira, 1979.

RAMOS, G. *Infância.* 16 º ed. Rio de Janeiro: Recorde, 1980.

_____. Cartas. Rio de Janeiro: Record, 1980 a.

_____. *Memórias do Cárcere.* Rio de Janeiro: Record, 1980b.

_____. *Viventes das Alagoas.* Rio de Janeiro: Record, 1980c.

_____. *Angústia.* Rio de Janeiro: Record, 1980d.

_____. *São Bernardo.* Rio de Janeiro: Record, 1980e

_____. *Alexandre e outros heróis.* Rio de Janeiro: Record, 1980f.

REY, F. G. *Epistemologia Cualitativa y subjetividad.* Revista Interamericana de psicologia. Havana, vol. 32, n.2, pp 139-167, 1998 .

_____. *La investigación cualitativa en Psicología: Una reflexión crítica desde una alternativa diferente.* (mimeo s/d).

ROLNICK, S. Toxicômanos de identidade : Subjetividade em tempo de globalização In: **LINS, D.** (org.) *Cultura e Subjetividade - saberes nômades.* São Paulo: Papirus, 1997.

SCHINITMAN, D. F. *Novos Paradigmas, Cultura e Subjetividade.* Porto Alegre: Artes Médicas, 1996.

SILVEIRA, P. de C. *Graciliano:* Nascimento, vida, glória e morte. Maceió: FUNTED, 1982.

SILVERTRI, A ; BLANCK, G. *Bajtín y Vigotski* : La organización semi ótica de la conciência. Barcelona: Anthropos, 1993.

SMOLKA, A L. Esboço de um perspectiva teórico-metodológica no estu do de processos de construção de conhecimento In: _____. **GÓES, M. C. R. de.** *A significação nos espaços escolares* - Interação social e sub jetivação. Campinas: Papirus, 1997.

_____. Linguagem e conhecimento na sala de aula: modos de inscrição de práticas cotidianas da memória coletiva e individual. *Anais do Encontro sobre teoria e Pesquisa em Ensino de Ciências:* Linguagem, cultura e cognição. FE/UGMG/FE/UNICAMP. pp. 97-113, 1997b.

SMOLKA, A L ; GÓES, M. C. R. de ; PINO, A . A construção do sujeito, uma questão recorrente ? In: **WERTSCH, J. et al.** (org.) *Estudos Sócio-Culturais da Mente.* Porto Alegre: Artes Médicas, 1998.

VASCONCELLOS, V. M. R. ; VALSINER, J. *A perspectiva co-construtivista na Psicologia e Educação.* Porto Alegre: Artes Médicas,1995.

VASCONCELLOS, V. M . R. Wallon e o papel da imitação na emergên cia do significado no desenvolvimento infantil In: **PEDROSA, M. I.** et al. (org.) *Investigação da criança em interação social* - Recife - UFPE. Coletâneas da ANPEPP, vol. 1 n º 4, pp. 33-48, 1996.

VIANA, V. de A. (Ed.) *Graciliano Ramos.* 2 ª Ed. São Paulo: Nova Cultural, 1988.

VYGOSTKY, L. S. ; LURIA, A. R. *Estudos sobre a história do comporta mento: símios, homem primitivo e criança.* Porto Alegre: Artes Médicas, 1996.

VYGOSTKY, L. S. *La imaginación y el arte en la infancia* - Ensaio psi cológico. Ediciones Hispánicas: México, 1987.

_____ . *Pensamento e Linguagem.* São Paulo: Martins Fontes, 1993.

_____ . Obras Escogidas. Tomo II, Madri: Editorial Pedagógica, 1995.

_____ . *A Formação social da mente.* São Paulo: Martins Fontes, 1998a.

_____ . *O desenvolvimento psicológico na infância.* São Paulo: Martins Fontes, 1998b.

_____ . *Psicologia da Arte.* São Paulo: Martins Fontes, 1999a.

_____. *Teoria e Método em Psicologia.* São Paulo: Martins Fontes, 1999b.

WALLON, H. *As origens do caráter na criança.* São Paulo: Nova Alexandria, 1995.

WERTSCH, J. Voces de la mente: Un enfoque sociocultural para el estu dio de la acción mediada. Madri: Visor, 1993.

WERTSCH, J. et al. (1985) La médiation sémiotique de la vie mentale: L. S. Vygotsky et M. M. Bakhtine In: *Vygotsky Aujourd'hui.* Paris: Delachaux & Niestlé.

BIBLIOGRAFIA CONSULTADA

BYIGTON, C. A. B. A pesquisa científica acadêmica na perspectiva da pedagogia simbólica. In: **FAZENDA, I.** (org.) *A pesquisa em Educação e as transformações do conhecimento.* Campinas: Papirus, 1997.

Movimento de 30.

LINDOSO, E. de C. *Graciliano Ramos* : O nordestino em Vidas Secas. http:/www.spacesports.com/~esquina/autores/ramos01.html

FAZENDA, I. C. A. Sobre a arte ou a estética do ato de pesquisar na edu cação In: ______. *A pesquisa em Educação e as transformações do conhecimento.* Campinas: Papirus, 1997.

FARACO, C. A . A aventura dialógica. In: **BURMESTER, A M. de O et al.** *As aventuras do pensamento.* Curitiba: Ed. da UFPR, 1993.

_____. O dialogismo como a chave para uma antropologia filosófica. In: **FARACO, C. A** *Diálogos com Bakhtin.* Curitiba: Ed. da UFPR, 1996.

JOBIM E SOUZA, S . Leitura: entre o mágico e o profano. Os caminhos cruzados de Bakhtin, Benjamin e Calvino. In: : **FARACO, C. A .** *Diálogos com Bakhtin.* Curitiba: Ed. da UFPR, 1996.

PALANGANA, I. C. A função da linguagem na formação da consciên cia : reflexões. In: *Cadernos Cedes n º 35.* São Paulo: Papirus, pp. 15-28.

POLLAK, M. *Memória e identidade social.* Estudos Históricos. Rio de Janeiro, vol. 5, n º 10, 1992, pp. 200-212.

TEZZA, C. *Sobre o Autor e o herói:* um roteiro de estudo In: **FARACO, C. A .** *Diálogos com Bakhtin.* Curitiba: Ed. da UFPR, 1996.

WALLON, H. *Psicologia e Educação da Infância.* Lisboa: Estampa, 1975.

Relação de Distribuidores da Editora - UFJF

Os livros da **Editora - UFJF** poderão ser encontrados nas livrarias abaixo relacionadas ou solicitados à Editora da Universidade Federal de Juiz de Fora - Prédio da Biblioteca Central, térreo - Campus Universitário da UFJF - 36036-330 - Juiz de Fora - MG - tel. (32) 3229-3782 - editora@editora.ufjf.br - www.editora.ufjf.br

ARARAQUARA - SP

- ANTONIO VIEIRA SILVA
  Av. Brasil, 655 - tel. (16) 232 2464

BAURU - SP

- EDITORA UNIV SAGRADO CORAÇAO
  Rua Irma Arminda, 10-50 - tel. (14) 234 3891

BELEM - PA

- EDITORA UNIVERSIDADE FEDERAL DO PARA
  Travessa Rui Barbosa, 491 - tel. (91) 211 1357

BELO HORIZONTE - MG

- AG JORNAIS E REVISTAS LIDER LTDA
  Rua Fernao Dias, 634 - tel. 0800 311289
- BIBLIOMED LTDA
  Av. do Contorno, 2646/902 - tel. (31) 3213 7020
- DIALOGO DISTR LIVROS LTDA
  Av. Amazonas, 115/204 - tel. (31) 3274 7900

- WILLIAM LIVROS LTDA
  Av. 31 de Março, 1070 loja 04 - tel. (31) 3375 7855
- EDITORA UNIVERSIDADE FED. DE MINAS GERAIS
  Av Antonio Carlos, 6627/405 - tel. (31) 3499 4650
- GD DISTR LIVROS LTDA
  Rua da Bahia, 1148 sala 925 - tel. (31) 3222 1894

BLUMENAU - SC
- FUNDAÇAO UNIV REG BLUMENAU
  Rua Antonio da Veiga, 140 - tel. (47) 321 0200

BRASILIA - DF
- EDITORA UNIV EST BRASILIA
  Campus Univ ICC Norte - tel. (61) 226 6874
- UNIVERSIDADE DE BRASILIA
  Campus Universitario s/nº - tel. (61) 316 2222

CAMPINAS - SP
- LIVRARIA PONTES LTDA
  Rua Dr. Quirino, 1223 - tel. (19) 236 0943
- LIUBLIU LIVRARIA LTDA
  Av. Albino José Barbosa, 1556 - tel. (19) 3289 2000

CUIABÁ - MT
- CASA DO CONCURSANDO
  Av. João Gomes Sobrinho, 62 - tel. (65) 623 5266

CAMPO GRANDE - MS
- FAPEC UNIV FED MATO GROSSO SUL
  Rua 09 de Julho, 1922 - tel. (67) 746 2679

CANOAS - RS
- COMU EVANG LUTERANA SP
  Rua Miguel Tostes, 101 - tel. (51) 477 9118

CASCAVEL - PR
- ABRINDO HORIZONTES
  Rua Universitária, 1334 - tel. (45) 325 1028

CHAPECÓ - SC
- ARGOS EDITORA UNIVERSITARIA
  Rua Senador Atilio Fontana, 591 - tel. (49) 321 8218

CRICIUMA - SC
- NILSETE TEREZINHA GERALDO
  Av. Universitaria 1105 - tel. (48) 438 3046

CURITIBA - PR
- EDITORA LETRAS E LIVROS LTDA
  Rua Ficastro Nunes Pires, 175 - tel. (41) 9957 9841
- FUNPAR - EDITORA UFPR
  Centro Politecnico - tel. (41) 267 5973

ERECHIM - RS
- LIVRARIA DAS FACULDADES LTDA
  Av. 07 de setembro, 568 - tel. (54) 321 3260

FEIRA DE SANTANA - BA
- UNIV ESTADUAL DE FEIRA DE SANTANA
  Br 116 km 03 Campus Universitario - tel. (75) 224 8007

FLORIANOPOLIS - SC
- EDITORA UNIV FED SANTA CATARINA
  Campus Universitario s/nº - tel. (48) 331 9408
- EDITORA VOZES LTDA
  Rua Jeronimo Coelho, 308 - tel. (48) 2220 4112

FORTALEZA - CE
- EDITORA UNIV FED CEARA
  Av. da Universidade, 2995 - tel. (85) 283 4069

FOZ DO IGUAÇU - PR
- LIVRARIA DO SABER LTDA
  Rua Almirante Barroso, 1841 - tel. (45) 523 2970

GOIANIA - GO
- CEGRAF UNIV FED GOIAS
  Campus Samambaia - tel. (62) 521 1351
- EDITORA UNIV CATOLICA GOIAIS
  Av. Universitaria, 1440 - tel. (62) 227 1080

IJUI - RS
- UNILIVROS DISTR LIVROS
  Rua do Comercio, 1330 - tel. (55) 332 8900

ITAJAI - SC
- FUND EXT PESQ EDC VALE ITAJAI
  Rua Uruguai, 458 - tel. (47) 341 7513

JOAO PESSOA - PB
- EDITORA UNIV FED PARAIBA
  Campus Universitario s/nº - tel. (83) 216 7327

JUIZ DE FORA - MG
- LIVRARIA LETRAS E NOTAS
  Av. Barão do Rio Branco 2089 lj 18 - tel. (32) 3213 9004
- AVB ENTRETENIMENTOS
  Av. Independência 1522 - tel. (32) 3213 9964
- LIVRARIA COMPENDIUM
  R. Morais e Castro 300 lj 12 - tel. (32) 3214 5101

- LIBERDADE LIVRARIA
  R. Santa Rita 545- tel. (32) 3215 7863
- LIVRARIA CAMÕES
  Av. Barão do Rio Branco 2067 - tel. (32) 3217 5341
- MARIO CARUSO E CIA
  R. Roberto de Barros 142 - tel. (32) 3215 2150
- LIVRARIA A TERCEIRA MARGEM
  Galeria Pio X 127/133 1ºandar - tel. (32) 3216 7320
- PALIMONTES PAPÉIS E INFORMÁTICA
  R. Halfeld 716 - tel. (32) 3215 8311

JUNDIAI - SP
- CONCEITO COM LIVROS LTDA
  Rua Tiradentes, 633 - tel. (11) 4522 1900

LONDRINA - PR
- EDITORA UNIV EST LONDRINA
  Rodov Celso Garcia Cid km 380 - tel. (43) 371 4674

MACEIO - AL
- EDITORA UNIV FED ALAGOAS
  Br 140 km 14 - tel. (82) 214 1111

MANAUS - AM
- LUA- LIV. DA UNIV. DO AMAZONAS
  Av. General Rodrigo J. Ramos 3000 - tel. (92) 664 2833

MARÍLIA - SP
- LIVRARIA CANTO DAS LETRAS
  Rua 4 de abril, 475 - tel. (14) 424 7829

MARINGA - PR
- UNIVERSIDADE EST MARINGA
  Av Colombo 5790 bloco 35 - tel. (44) 261 4527

MONTES CLAROS - MG
- FADENOR UNIV EST MONTES CLAROS
  Campus Univ Prof Darcy Ribeiro - tel. (38) 3229 8226

NATAL - RN
- EDITORA UNIV FED RN
  Av. Salgado Filho, s/nº - tel. (84) 215 3236

NITEROI - RJ
- EDITORA UNIV FED FLUMINENSE
  Rua Miguel de Frias, 09 - tel. (21) 2622 4088

OURO PRETO - MG
- EDITORA UNIV FED OURO PRETO
  Campus Universitario s/nº - tel. (31) 3559 1480

PALMAS - TO
- COMU EVANG LUTERANA SP
  Av. Teotonio Segurado s/n - tel. (63) 223 2071
- SG VIEIRA
  104 Sul Conj 04 lotes 1/10 loja 03 - tel. (63) 215 3123

PASSO FUNDO - RS
- FUNDAÇAO UNIV PASSO FUNDO
  Br 285 km 171 - tel. (54) 316 8100

PELOTAS - RS
- LIVRARIA DA UFPel
  Rua Lobo da Costa, 447 - tel. (53) 22278300

PETRÓPOLIS - RJ
- PAPELADA PAPELARIA E LIVRARIA
  Av. Roberto Silveira, 233 - te. (24) 2243 5028

PIRACICABA - SP
- COLISEU SHOPPING DIST. LIVROS
  Av. Limeira, 722 - Vila Areão - tel. (19) 3423 2033

PONTA GROSSA - PR
- EDITORA UNIV EST PONTA GROSSA
  Praça Santos Andrade, s/nº - tel. (42) 220 3308

PORTO ALEGRE - RS
- WILSON WILSON DISTR LTDA
  Rua Demetrio Ribeiro, 845 - tel. (51) 221 5931
- FAURGS FUND APOIO UFRS
  Av Bento Gonçalves 9500 - tel. (51) 3224 8821
- LMC LIVRARIA E DISTRIBUIDORA LTDA
  Rua do Riachuelo, 1273 - tel. (51) 3224 5288
- NELSON LUIZ D MORAIS
  Av. São Pedro 427 conj 04- tel. (51) 342 6699

PRESIDENTE PRUDENTE - SP
- LIVRARIA MARCOS
  Rua Alfredo Pereira Ramos, 82 - tel. (18) 231 3070

RECIFE - PE
- EDITORA UNIV FED PERNAMBUCO
  Av Academico Helio Ramos, 20 - tel. (81) 271 8397

RIO DE JANEIRO - RJ
- JAJ COM REPR LTDA
  Rua Medeiros Passaro, 37 - tel. (21) 2278 4989
- MARCA D'AGUA LIVR EDIT LTDA
  Rua Dias Ferreira, 214 - tel. (21) 2511 4082

- RIO KOSMOS COM LIVROS LTDA
  Rua do Rosario, 155 - tel. (21) 2224 8616
- SUSANE BACH COM LIVROS LTDA
  Rua Visconde de Caravelas, 17 - tel. (21) 2537 2512
- IUPERJ INS UNIV PESQ RJ
  Rua da Matriz, 82 - tel. (21) 2537 8020
- LIVRARIA DA TRAVESSA LTDA
  Travessa do Ouvidor, 17 - tel. (21) 2242 5344
- LIVRARIA LETRA CARIOCA
  Rua Visconde de Piraja, 462 - tel. (21) 2287 5157
- LIVRARIA DA UERJ
  Rua São Francisco Xavier, 524 - tel. (21) 2587 7788
- CBCISS
  Av. Santa Luzia, 685 - tel. (21) 2240 5931
- LIVRARIA DA UFRJ/FORUM DE CIÊNCIA
  Av. Pasteur, 250 - Praia Vermelha - tel. (21) 2295 1595
- LIVRARIA ALIANÇA UNIVERSITÁRIA
  CT - UFRJ - Ilha do Fundão - tel. (21) 2290 3768
- N. S. SADEK LIVRARIA E DIST. DE LIVROS
  Av. Brigadeiro Trompowsky, s/nº - CCS - tel. (21) 2270 0665
- TIMBRE LIVRARIA E PAPELARIA LTDA
  R. Marquês de São Vicente,52 - lj 221 - tel. (21) 2274 1146

RIO GRANDE - RS

- FURG - FUND UNIV RIO GRANDE
  Rua Luiz Lorea, 261 - tel. (53) 2323958

SALVADOR - BA

- QUARTETO DISTR LIVROS LTDA
  Av. Antonio C Magalhaes, 3213/702 - tel. (71) 353 5364
- EDITORA UNIV FED BAHIA
  Rua Augusto Viana, 37 - tel. (71) 331 9799
- EDITORA VOZES LTDA
  Rua Carlos Gomes 698A, - tel. (71) 329 5466

SANTA MARIA - RS

- CENTRO UNIV FRANCISCANO
  Rua dos Andradas, 1614 - tel. (55) 222 1200
- EDITORA UNIV FED SANTA MARIA
  Predio Biblioteca Central s/nº - tel. (55) 220 8115

SÃO CRISTOVAO - SE

- EDITORA UNIV FED SERGIPE
  Cidade Universitaria, s/nº - tel. (79) 212 6921

SÃO LEOPOLDO - RS

- UNIVERSIDADE VALE RIO SINOS
  Av. Unisinos, 950 - tel. (51) 590 8241

SÃO LOURENÇO - MG

- SONIA MELCKELBURG REIS
  Rua Dr. Olavo Gomes Pinto, 160/28 - tel. (35) 3331 1765

SÃO LUIS - MA

- LIVRARIA DA UFMA
  Av. dos Portugueses, s/nº - Bacanga - tel. (98) 217 8161

SÃO PAULO - SP

- ATLANTIS LIVROS LTDA
  Rua Joaquim Guarani, 322 - tel. (11) 5183 5377
- HENRIQUE VILLIBOR FLORY
  Rua 13 de Maio, 71 - tel. (11) 253 0746
- LIP BOOKS
  Rua Arnaldo Alvernaz Nunes, 20/22 - tel. (11) 3975 8639
- OMEGA EDIT DISTR LTDA
  Rua Marques de Itu, 306 cj 56 - tel. (11) 3361 9756
- DANIEL KRASUCKI
  Rua Moacir Miguel, 115 - tel. (11) 3731 7239
- EDITORA UNIV SÃO PAULO
  Av. Prof Luciano Gualberto, 374 - tel. (11) 813 8837
- FUNDAÇAO EDIT UNESP
  Al. Santos 647 - terreo - tel. (11) 252 0630
- DISCURSO EDITORIAL DISTR.LTDA
  Av. Prof. Luciano Gualberto - tel. (11) 3818 3796
- PRIMEIRA IMPRESSAO DISTR. LTDA
  Rua Augusta, 331 - Consolação - tel. (11) 3151 4480
- CORTEZ EDITORA E LIVRARIA LTDA
  Rua Bartira, 317 - perdizes - tel. (11) 3873 7111

TAGUATINGA - DF

- UNIAO BRASILIENSE EDUC CULT
  QA 07 lote 01 - tel. (61) 356 9391

TANGARA DA SERRA - MT

- LIVRARIA SISAN LTDA
  Rua Antonio Hortolani, 288 - tel. (65) 326 6313

TIRADENTES - MG

- SPIX MARTIUS LTDA
  Rua Direita, 168 - tel. (32) 3355 1793

TRES CORAÇOES - MG

- AAS LIVR PAP INFORMATICA LTDA
  Av. Presidente Dutra, 03 loja 108 - tel. (35) 3232 2399

UBERABA - MG

- ACADÊMICA DIST. DE LIVROS LTDA
  Av. Afrânio de Azevedo, 115 - tel. (34) 3338 6120

UBERLANDIA - MG

- EDITORA UNIV FED UBERLANDIA
  Av. Joao Naves de Avila, s/nº - tel. (34) 239 4923

VARGINHA - MG

- ALESSANDRO COM LIVROS LTDA
  Rua Delfim Moreira, 245 - tel. (35) 3222 1646

VIÇOSA - MG

- FUNDAÇAO ARTHUR BERNARDES
  Ed Francisco São Jose, s/nº - tel. (31) 3899 3113

VITORIA - ES

- EDUFES - FUND CECILIANO ABEL
  Av. Fernando Ferrari, s/nº - tel. (27) 335 2370

Impresso nas oficinas da
SERMOGRAF - ARTES GRÁFICAS E EDITORA LTDA.
Rua São Sebastião, 199 - Petrópolis - RJ
Tel.: (24) 2237-3769